Deutsch
als Fremdsprache I
Grundkurs

—

von Korbinian Braun, Lorenz Nieder
und Friedrich Schmöe

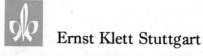 Ernst Klett Stuttgart

Deutsch als Fremdsprache

Ein Unterrichtswerk für Ausländer

Herausgegeben von

Dr. Korbinian Braun, Leiter der Zentralen Ausbildungsstätte des Goethe-Instituts
Dr. Lorenz Nieder, Leiter des Goethe-Instituts Freiburg
Friedrich Schmöe, Referent des Goethe-Instituts für Sprachlehrgänge im Ausland

Bildnachweis: H. Müsseler, Rheinhausen, S. 19, 39; Conti-Press, Hamburg, S. 25, 45; Volkswagenwerk Wolfsburg S. 31; Erhard Jorde, Nieder-Roden, S. 51; Dix-Bavaria, Gauting, S. 57; H. Hartz, Hamburg, S. 65, 83; Erika Groth-Schmachtenberger, München, S. 71; Rupp-Anthony, Starnberg, S. 77; Bundesbildstelle, Bonn, S. 109.

Abbildungen auf den Umschlaginnenseiten: Heidelberg (Fremdenverkehrsamt der Stadt Heidelberg, Photo Sepp Jäger, Frankfurt am Main); Kupferhütte Dortmund-Hochfeld (Photo H. Müsseler, Rheinhausen).

Quellennachweis der Originaltexte: S. 59: Ernst Ginsberg: Abschied. Erinnerungen, Theateraufsätze, Gedichte. Herausgegeben von Elisabeth Brock-Sulzer. Die Arche, Zürich 1965. – Manfred Hausmann: Martin. Sigbert Mohn Verlag, Gütersloh 1963. – S. 110: Schlaraffenland. In Anlehnung an Krüger: Texte für den Deutschunterricht 2. Schuljahr. Verlag Moritz Diesterweg, Frankfurt am Main 1965. – S. 111: Hans Magnus Enzensberger: blindenschrift. Suhrkamp Verlag, Frankfurt am Main 1965.

1. Auflage.   1 10 9 8 7 | 1976 75 74 73

Alle Drucke dieser Auflage können im Unterricht nebeneinander benutzt werden. Die letzte Zahl bezeichnet das Jahr dieses Druckes.
Photos zu den Lehrtexten: Anke Teichmann, München. Illustrationen: Hans Köhler, Stuttgart.
Karten: Gottfried Wustmann, Schwieberdingen.
Druck: Ernst Klett, 7 Stuttgart, Rotebühlstraße 77. Printed in Germany.
ISBN 3-12-554100-X

Inhalt

Vorwort / Preface / Préface / Prefacio

Wir verwenden im täglichen Gespräch nicht viel mehr als 1000 Wörter in einer kleinen Zahl von Satzmustern. Beide werden Ihnen mit Hilfe lebendiger Alltagsdialoge und geeigneter Sprachübungen in diesem Lehrbuch vermittelt. Zu ihm gehören außerdem Bilder (Dias), Schallplatten und Tonbänder, die Sie inner- und außerhalb des Unterrichts fördern werden. Dieser „pädagogische Block" wird Ihnen helfen, Deutsch zu verstehen, zu sprechen, zu lesen und zu schreiben. Ausgewählte Fotos vermitteln Ihnen darüber hinaus ein Bild vom Leben in Deutschland.

In the course of our daily conversation we do not use more than 1000 words in a small number of sentence patterns. Both of these are offered to you in this book, using everyday language and appropriate exercises. As well as the text book there are pictures (slides), records and tape-recordings which will help you inside and outside of the classroom. This teaching unit will help you to understand, speak, to read and write the German language. In addition, selected photographs offer you a picture of life in Germany.

Dans le langage quotidien nous n'employons guère plus de 1000 mots groupés en une petite quantité de phrases type. C'est ce vocabulaire de base et ces phrases type que vous trouverez dans ce manuel, présentés sous la forme de dialogues vivants et d'exercices appropriés. Des images (diapositives), des disques et des bandes sonores en forment le complément et vous apporteront une aide efficace, soit pendant les cours, soit chez vous. Ce „bloc pédagogique" vous aidera à comprendre et à parler, à lire et à écrire l'allemand. Un choix de photos vous donnera en plus une image de la vie en Allemagne.

Según investigaciones lingüísticas usamos en la conversación diaria no mucho más de 1000 palabras que se encuentran en un pequeño número de tipos de oraciones. Estas palabras y estructuras sintácticas el libro las presenta en diálogos vivos de todos los días así como en ejercicios bien preparados. Parte esencial de este método son: imágenes (diapositivas), discos y cintas magnetofónicas que dentro y fuera de las clases les serán útiles. Este „bloque pedagógico" les ayudará también a hablar, leer y escribir bien el alemán. Además les facilitarán fotos escogidas una buena idea de la vida en Alemania.

Premessa / Предисловие / はしがき / مقدّمة الكتاب

Nel nostro linguaggio abituale noi ci serviamo ordinariamente di poco più di un migliaio di parole, impiegate in un numero limitato di frasi „tipo". Appunto quelle parole e queste frasi Le vengono offerte ora in questo libro di testo, attraverso dialoghi sulla vita di ogni giorno ed appropriati esercizi di lingua. Il volume è corredato inoltre da diapositive, dischi e nastri magnetofonici, che potranno essere utilizzati sia nel corso della lezione, sia a parte, ma che costituiscono, insieme con il testo, uno strumento didattico di massima utilità per chi voglia capire, parlare, leggere e scrivere bene la lingua tedesca. Una opportuna scelta di fotografie contribuisce infine a presentare un quadro vivace della Germania d'oggi.

В ежедневных разговорах мы употребляем всего немного более одной тысячи слов при небольшом количестве образцовых предложений. На основе этого словарного материала вместе с данными предложениями учебник содержит как диалогическую живую речь, так и полезные упражнения. Приложениями к учебнику служат диапозитивы, грампластинки, магнитные ленты, пользование которыми способствует усвоению языка и на уроке и в свободное время. Такое сочетание учебных пособий даст Вам возможность научиться понимать, говорить, читать и писать по-немецки. По выбранным нами фотоснимкам Вы можете к тому же представить себе картину жизни в Германии.

我々が日常会話で使用する単語は、わずかな文型の中で1000語を越さない。このテキストでは、そのいずれをも生きた対話と適切な練習によって、読者に習得させようとしている。さらにこのテキストには、読者に教室の内外で役に立つ絵（スライド）、レコード、および録音テープが付いている。この教育方法はドイツ語を理解し、話し、読み、そして書くことに役立つであろう。さらに厳選した写真は、ドイツにおける生活の姿を読者に提供している。

إنّ ما نستخدمه من الكلمات في حديثنا اليومي لا يتعدّى ألّا بقليل الآلف كلمة وذلك في عدد ضئيل من عبارات نموذجيّة. وهذا الكتاب الدراسي يقدّم لكم هاتين الناحيتين بواسطة حوارات يوميّة حيّة وتمارين لغويّة قد أمعن النظر في انتقائها؛ وبالإضافة إليه فهناك صور للعرض على الشاشة وأسطوانات وشرائط تسجيل تتعلّق به من شأنها أن تسهّل لكم التقدّم أثناء الدرس وخارجها عنه. فهذه «المجموعة التربويّة» تساعدكم على أن تفهموا وتتكلّموا وتقرؤوا وتكتبوا اللغة الألمانيّة. وعلاوة على ذلك فتعرض لكم بعض الصور المنتقاة فكرة عن الحياة في ألمانيا.

1 Guten Tag!

Herr Hartmann: Guten Tag, Herr Schmitt!

Herr Schmitt: Guten Tag, Herr Hartmann!

Herr Hartmann: Wie geht es Ihnen?

Herr Schmitt: Danke, gut! – Und Ihnen?

Herr Hartmann: Danke, es geht! – Kommen Sie aus Berlin?

Herr Schmitt: Ja, ich komme aus Berlin und fahre nach München.

Herr Hartmann: Wohnen Sie in München?

Herr Schmitt: Nein, ich wohne nicht in München, ich wohne jetzt in Köln. Und Sie? – Was machen Sie?

Herr Hartmann: Ich fliege heute nach Hamburg und morgen zurück nach Frankfurt. Dann fahre ich nach Haus.

Herr Schmitt: Entschuldigen Sie, Herr Hartmann, mein Taxi! Auf Wiedersehen!

Herr Hartmann: Auf Wiedersehen, Herr Schmitt!

– sie fliegen –
Wohin fliegen sie?
Sie fliegen nach Berlin,
Paris, London, New York.

– sie fahren –
Wohin fahren sie?
Sie fahren nach Frankfurt,
Bonn, Köln, Bremen.

– sie gehen –
Wohin gehen sie?
Sie gehen nach Haus.

Kommen Sie aus Berlin, Herr Schmitt?
Ja, ich komme aus Berlin.
Wohin fahren Sie?
Ich fahre nach München.
Wohnen Sie in München?
Nein, ich wohne jetzt in Köln.

Woher kommen Sie, Herr Hartmann?
Ich komme auch aus Berlin.
Und was machen Sie?
Ich fliege heute nach Hamburg.
Morgen fliege ich zurück,
dann fahre ich nach Haus.

9

1 Bitte ergänzen Sie:

Ich fahre nach Hamburg. Ich fliege nach Berlin.
.... Frankfurt. .... Paris.
.... München. .... Rom.
.... Berlin. .... Wien.
.... Köln. .... Rio.

Ich komme aus London. Ich wohne in Köln.
.... Athen. ....Bremen.
.... Tokio. ....Hannover.
.... Ankara. ....Bonn.
.... New York. ....Stuttgart.

2 Bitte wiederholen Sie:

Sie fliegen – sie fahren – sie gehen. i – ɑ – e

Sie fliegen nach Wien. Sie fahren nach Paris. I, ɑ – a

Sie wohnen in Rom. Sie kommen aus London. o – ɔ

Was machen Sie? Ich fahre nach Hamburg. a – ɑ

Ich gehe nach Haus. Auf Wiedersehen! eː

3 Bitte antworten Sie mit „ja":

Kommen Sie aus Paris? Ja, ich komme aus Paris.

Fahren Sie nach Hamburg? Ja, ...

Wohnen Sie in Köln? Ja, ...

Fliegen Sie nach Rom? Ja, ...

Gehen Sie nach Haus? Ja, ...

4 Bitte antworten Sie mit „nein":

Kommen Sie aus London? Nein, ich komme nicht aus London.

Fahren Sie nach Frankfurt? Nein, ...

Wohnen Sie in Bonn? Nein, ...

Fliegen Sie nach Wien? Nein, ...

Gehen Sie nach Haus? Nein, ...

10

Unterricht

L: Lernen Sie Deutsch?

S: Ja, wir lernen Deutsch.

L: Und was machen Sie?

S: Wir hören und wiederholen.
   Sie fragen, und wir antworten.
   Sie erklären, und wir verstehen.
   Wir üben viel.

L: Schreiben Sie auch?

S: Ja, wir lesen und schreiben auch.

5 Bitte wiederholen Sie:

Wir lernen, wir sprechen – wir lesen, wir verstehen.   ɛ – e

Wir lernen Deutsch. — Wir verstehen nicht.

Wir hören – wir üben – Sie erklären – wir schreiben.   ø – y – ɛː – aɪ

Sie fragen – wir antworten – wir wiederholen.

Was machen Sie? – Wir fragen und antworten.

Bitte hören Sie! Bitte antworten Sie! Bitte wiederholen Sie!

6 Bitte ergänzen Sie:

Ich fahre . . . . nach Berlin.   Ich fliege . . . . nach Paris.

. . . . heute . . . . morgen . . . .

. . . . morgen . . . . zurück. . .

. . . . nach Haus.   Ich fahre . . . .

. . . . jetzt . . . . nach Haus.

Ich gehe . . . . jetzt . . . .

. . . . nicht . . . .   Ich gehe . . . .

7 Bitte ergänzen Sie:

a) aus – nach – in

1. Kommen Sie . . . . . Berlin? 2. Ja, ich komme . . . . . Berlin und fahre . . . . . München.
3. Wohnen Sie . . . . . . München? 4. Nein, ich wohne jetzt . . . . . Köln. 5. Und was machen Sie? 6. Ich fliege heute . . . . . Hamburg und morgen zurück . . . . . Frankfurt.
7. Dann fahre ich . . . . . Haus.

b) ich – Sie – Ihnen; wir – Sie

1. Wie geht es . . . . . ? 2. Danke, gut! Und . . . . . ? 3. Danke, danke! Kommen . . . . . aus Berlin? 4. Ja, ... komme aus Berlin und fahre nach München. 5. Wohnen . . . . . in München? 6. Nein, ... wohne nicht in München, ... wohne jetzt in Köln. 7. Und . . . . . ? Was machen . . . . . ? 8. . . . . . fliege heute nach Hamburg und morgen zurück nach Frankfurt. 9. Dann fahre . . . . . nach Haus.

10. Lernen . . . . . Deutsch? 11. Ja, ... lernen Deutsch. 12. Was machen . . . . . ?
13. . . . . . hören und wiederholen. 14. . . . . . fragen, und . . . . . antworten. 15. . . . . . erklären, und . . . . . verstehen. 16. . . . . . üben viel. 17. Schreiben . . . . . auch? 18. Ja, ... lesen und schreiben auch.

c) Anrede, Frage, Antwort

1. Guten Tag, ... Schmitt! 2. . . . ., Herr Hartmann! 3. . . . . . geht es Ihnen? 4. . . . . ., gut! Und Ihnen? 5. . . . . ., danke! 6. . . . . Sie aus Berlin?
7. Ja, ich . . . . aus Berlin und . . . . nach München. 8. . . . . Sie in München? 9. Nein, ich . . . . nicht in München, ich . . . . jetzt in Köln.
10. Und Sie? Was . . . . Sie? 11. Ich . . . . heute nach Hamburg und morgen . . . . nach Frankfurt.

8 Dialoge:

Wie geht es Ihnen?

A: Guten Tag, Herr . . . . !
B: Guten Tag, ... !
A: Wie geht es Ihnen?
B: Danke, gut! Und Ihnen?
A: . . . .
   Auf Wiedersehn, Herr . . . . !
B: Auf Wiedersehn! . . . .

Was machen Sie?

A: Guten Tag, Herr . . . . !
B: Guten Tag, ... !
   Was machen Sie?
A: Ich fliege nach . . . .
   Und Sie? Wohin fliegen Sie?
B: Ich fliege nach . . . .
   Auf Wiedersehn, ... !

12

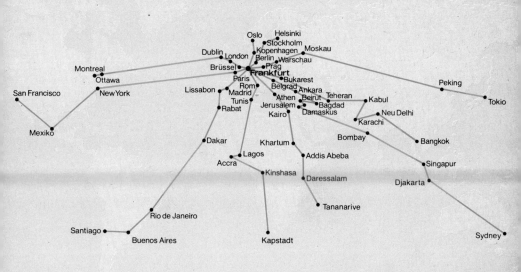

Woher kommen Sie?

●———→

Ich komme aus Paris.

Wo wohnen Sie?

⊙

Ich wohne in Berlin.

Wohin fliegen Sie?

———→ ●

Ich fliege nach Rom.

13

2 Telefongespräch

Fräulein Klein: Hier Firma Hartmann.
Herr Weber: Hier Ingenieur Weber.
               Ist Herr Hartmann da?
Fräulein Klein: Nein, Direktor Hartmann ist nicht hier,
               er ist verreist. Montag ist er zurück.
Herr Weber: Und Frau Hartmann?
Fräulein Klein: Sie ist leider auch nicht da.
Herr Weber: Und wer ist bitte am Apparat?
Fräulein Klein: Hier ist Fräulein Klein, ich bin hier Sekretärin.
Herr Weber: Ah, guten Morgen, Fräulein Klein!
               Grüßen Sie bitte Direktor Hartmann und seine Frau!
Fräulein Klein: Sehr gern.
Herr Weber: Auf Wiederhören, Fräulein Klein!
Fräulein Klein: Auf Wiederhören!

Was ist das?
Das ist ein Telefon.
Wer ist am Apparat?
Herr Weber ist am Apparat.
Er ist Ingenieur.

Wer ist das?
Das ist Fräulein Klein.
Sie ist im Büro. Wie ist sie?
Sie ist jung und hübsch.

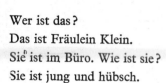

Wer ist das?
Das ist Herr Hartmann.
Herr Hartmann ist verreist.
Ist Herr Hartmann morgen hier?
Ja, morgen ist er hier.

Wer ist das?
Das ist Frau Hartmann.
Ist Frau Hartmann zu Haus?
Nein, sie ist auch nicht da.
Wo ist sie? Sie ist in Berlin.

1 Wer ist das?

Herr Hartmann	Das ist Herr Hartmann.
Fräulein Klein	. . . .
Herr Weber	. . . .
Frau Hartmann	. . . .
Herr Schmitt	. . . .

2 Was ist das?

ein Taxi	Das ist ein Taxi.
ein Haus	. . . .
ein Büro	. . . .
ein Apparat	. . . .
ein Telefon	. . . .

3 Bitte antworten Sie mit „ja":

Sind Sie in Frankfurt?	Ja, ich bin in Frankfurt.
Sind Sie im Büro?	Ja, ...
Sind Sie morgen da?	Ja, ...
Sind Sie Montag in Berlin?	Ja, ...
Sind Sie heute zu Haus?	Ja, ...

4 Bitte antworten Sie mit „nein":

Ist Herr Hartmann in Berlin?	Nein, er ist nicht in Berlin.
Ist Frau Hartmann in Hamburg?	Nein, sie . . . .
Ist Herr Schmitt in München?	Nein, ...
Ist Herr Weber in Köln?	Nein, ...
Ist Fräulein Klein verreist?	Nein, ...

5 Bitte wiederholen Sie:

Ich bin hier – sie ist hier – er ist auch hier – wir sind hier   ɪ – i

Sind Sie in Berlin? – Nein, ich bin nicht in Berlin.

Ist Herr Hartmann am Apparat? Nein, er ist nicht am Apparat.   ha – 'a

Herr Hartmann ist heute nicht zu Haus. Er ist in Hamburg.   h

16

Mein Auto

A: Das ist mein Auto.
   Wie finden Sie es?
B: O, sehr schön. Ist es neu?
A: Natürlich! Es ist auch sehr schnell.
B: Dann ist es sicher auch teuer.
A: Ja, billig ist es nicht.
   Kommen Sie, wir machen eine Fahrt!
B: Gut, aber fahren Sie
   bitte langsam!

---

6 Bitte ergänzen Sie:

Das Auto ist schön.

. . . . neu.

. . . . teuer.

. . . . sehr schnell.

. . . . nicht billig.

Frl. Klein ist in Frankfurt.

. . . . Sekretärin.

. . . . jung und hübsch.

. . . . im Büro.

. . . . schön.

Bitte antworten Sie:

Wie ist es?   Es ist . . . .

                     . . . .

                     . . . .

                     . . . .

                     . . . .

Wo ist sie?   Sie ist . . . .

Was ist sie?   . . . .

Wie ist sie?   . . . .

Wo ist sie?   . . . .

Wie ist sie?   . . . .

---

7 Wie ist das Auto?

Es ist nicht alt.   Es ist neu.

Es ist nicht billig. . . . .

Es ist nicht langsam. . . . .

Es ist nicht neu.   . . . .

Es ist nicht teuer. . . . .

Es ist nicht schnell. . . . .

Wie ist es nicht?

Es ist neu.   Es ist nicht alt.

Es ist schnell.   . . . .

Es ist teuer.   . . . .

Es ist alt.   . . . .

Es ist langsam.   . . . .

Es ist billig.   . . . .

8 Bitte ergänzen Sie:

a) ist – bin

1. Hier Firma Hartmann. 2. Hier ..... Ingenieur Weber. ..... Herr Hartmann da?
3. Nein, Direktor Hartmann ..... nicht hier, er ..... verreist. 4. Und Frau Hartmann? 5. Sie ...... leider auch nicht da. 6. Und wer ..... bitte am Apparat? 7. Hier
..... Fräulein Klein, ich ..... hier Sekretärin.

8. Das ..... mein Auto. Wie finden Sie es? 9. O, sehr schön. ..... es neu? 10. Natürlich! Es ..... auch sehr schnell. 11. Dann ..... es sicher auch teuer. 12. Ja, billig .....
es nicht.

b) wer? ich – Sie; wir – Sie; er – sie – es

1. Ist Herr Hartmann da? 2. Nein, Direktor Hartmann ist nicht hier, ... ist verreist.
3. Und Frau Hartmann? 4. ..... ist leider auch nicht zu Haus. 5. Und ..... ist bitte
am Apparat? 6. Hier ist Fräulein Klein, ... bin hier Sekretärin. 7. Grüßen .....
bitte Direktor Hartmann und seine Frau!

8. Das ist mein Auto. Wie finden ....? 9. O, ... ist sehr schön. Ist .....
neu? 10. Natürlich! ..... ist auch sehr schnell. 11. Dann ist ..... sicher auch teuer.
12. Ja, billig ist ..... nicht. 13. Kommen ....., ... machen eine Fahrt! 14. Gut, aber
fahren ..... bitte langsam!

c) ist + Ergänzung

1. Hier ..... Firma Hartmann. 2. .... Ingenieur Weber. 3. ..... Herr Hartmann .....? 4. Nein, Direktor Hartmann ..... nicht ....., er ....
5. Und Frau Hartmann? 6. Sie ..... leider auch nicht .....

9 Dialoge:

Am Telefon

A: Hier ....
B: Hier ....
    Ist Herr .... da?
A: Nein, Herr ..... ist verreist.
B: Und Frau ....?
A: Frau .... ist leider auch nicht zu
Haus. Auf Wiederhören!

Wer ist dort?

A: Hier ....
    Wer ist bitte am Apparat?
B: Hier ist ....
    Ist dort nicht Frau Schmitt?
A: Nein, hier ist nicht Schmitt, hier
    ist ....
B: Entschuldigen Sie bitte!

Ruhruniversität Bochum

Hochschulen in Deutschland

Universitäten			*Technische Hochschulen*
Berlin-Ost	Göttingen	Mannheim	Aachen
Berlin-West	Greifswald	Marburg	Berlin-West
Bochum	Halle-Wittenberg	München	Braunschweig
Bonn	Hamburg	Münster	Darmstadt
Dortmund	Heidelberg	Regensburg	Dresden
Düsseldorf	Jena	Rostock	Hannover
Erlangen-Nürnberg	Kiel	Saarbrücken	Karlsruhe
Frankfurt am Main	Köln	Stuttgart	Leipzig
Freiburg	Konstanz	Tübingen	München
Gießen	Leipzig	Ulm	
	Mainz	Würzburg	

Wolfgang ist Student. Er studiert Jura. Kurt studiert Physik.
Ursula ist Studentin. Sie studiert Medizin. Barbara studiert Philosophie.

3 Am Kiosk

Herr Weber: Eine „Abendzeitung" bitte und eine „Welt"!
Verkäuferin: Zwei Zeitungen, 80 Pfennig.
Herr Weber: Und wieviel kostet eine Karte?
Verkäuferin: Eine Karte 30 Pfennig.
Herr Weber: Hier bitte, zählen Sie!
Verkäuferin: Eins, zwei, drei, vier, fünf, sechs, sieben, acht, neun.
Das sind neun Stück. Möchten Sie noch etwas?
Herr Weber: Ja, Zigaretten, HB Filter bitte!
Verkäuferin: Neun Karten, das macht 2 Mark 70, Zigaretten eine Mark,
zwei Zeitungen 80 Pfennig, das macht zusammen 4 Mark 50.
Herr Weber: Hier sind fünf Mark!
Verkäuferin: Und 50 Pfennig zurück. Danke!
Herr Weber: Entschuldigen Sie, wo gibt es hier Briefmarken?
Verkäuferin: Briefmarken bekommen Sie im Postamt.
Gehen Sie erst rechts, dann links und dann geradeaus.
Herr Weber: Vielen Dank. Auf Wiedersehen!

Wieviel kostet eine Karte?
Eine Karte kostet 30 Pfennig.
Hier sind neun Karten,
– bitte zählen Sie!
Eins, zwei, drei, vier .....

Möchten Sie noch etwas?
Ja, zwei Zeitungen, bitte.
Eine Zeitung kostet 40 Pfennig.
Zweimal vierzig –
– das macht 80 Pfennig.

Wieviel kosten 10 Zigaretten?
Zehn Zigaretten kosten eine Mark.
Eine Zigarette 10 Pfennig?
– das ist sehr viel.
Ja, Zigaretten sind teuer.

Wieviel macht das zusammen?
Neun Karten, das macht 2,70 DM,
einmal Zigaretten   1,— DM,
und zwei Zeitungen   0,80 DM.
Das macht zusammen   4,50 DM.

Wo gibt es hier Briefmarken?
Briefmarken bekommen Sie im Postamt.
Dort gibt es auch Postkarten.
Gehen Sie erst rechts, dann links,
und dann geradeaus.

1 Wir zählen:

1   2   3   4   5   6   7   8   9   10

eins, zwei, drei, vier, fünf, sechs, sieben, acht, neun, zehn,

11   12   13   14   15   16   17

elf, zwölf, dreizehn, vierzehn, fünfzehn, sechzehn, siebzehn,

18   19   20   21   22

achtzehn, neunzehn, zwanzig, einundzwanzig, zweiundzwanzig,

23   24   25   26

dreiundzwanzig, vierundzwanzig, fünfundzwanzig, sechsundzwanzig,

27   28   29   30

siebenundzwanzig, achtundzwanzig, neunundzwanzig, dreißig,

40   50   60   70   80   90   100

vierzig, fünfzig, sechzig, siebzig, achtzig, neunzig, hundert.

2 Bitte wiederholen Sie:

zwei – zehn – zwölf – zwanzig – zweiundzwanzig	ts – tsv
sechs – sechzehn – sechzig – sechsundsechzig	z – ks - ç
fünf – fünfzehn – fünfzig – fünfundfünfzig	f – y
zwei Zeitungen – sechzig Zigaretten – fünf Bücher	ts – ç - y

3 Wir zahlen:

1,– DM   1,10 DM   1,20 DM   1,30 DM

Eine Mark, eine Mark zehn, eine Mark zwanzig, eine Mark dreißig;
1,40 DM; 1,50 DM; 1,60 DM; 1,70 DM; 1,80 DM; 1,90 DM; 2,– DM;
2,20 DM; 3,30 DM; 4,40 DM; 5,50 DM; 6,60 DM; 7,70 DM; 8,80 DM;
9,90 DM; 10,– DM; 1,25 DM; 3,65 DM; 9,85 DM; 4,12 DM; 1,13 DM;
3,98 DM; 6,66 DM; 32,– DM; 11,07 DM; 0,80 DM; 0,13 DM; 0,98 DM.

4 Wieviel macht das?

Eine Karte kostet 0,30 DM; eine Zeitung 0,40 DM; das macht ....

Zwei Karten kosten 0,60 DM; zwei Zeitungen 0,80 DM. Das macht ....

Vier Karten kosten 1,20 DM; vier Zeitungen 1,60 DM. Das macht ....

Uhrzeiten

A: Entschuldigen Sie,
    – wann kommt hier ein Bus?

B: Zehn nach eins.

A: Um wieviel Uhr, bitte?

B: Um ein Uhr zehn.

A: Und wie spät ist es jetzt, bitte?

B: Jetzt ist es 12 Uhr 40,
    – 20 Minuten vor eins.

A: Das dauert aber noch lange.

B: Ja, eine halbe Stunde.

A: Vielen Dank! – Dann nehme ich lieber ein Taxi.

5

1.10 Uhr	8.50 Uhr	7.30 Uhr	12.15 Uhr
ein Uhr zehn	acht Uhr fünfzig	sieben Uhr dreißig	zwölf Uhr fünfzehn
zehn nach eins	zehn vor neun	halb acht	Viertel nach zwölf

6 Bitte wiederholen Sie:

1.10 Uhr, 1.20 Uhr, 8.50 Uhr, 7.30 Uhr, 11.05 Uhr, 12.45 Uhr,
9.12 Uhr, 14.15 Uhr, 19.47 Uhr, 20.36 Uhr, 23.58 Uhr, 0.01 Uhr.

7 Wieviel Uhr ist es?

1.10 Uhr – Es ist zehn nach eins.   1.50 Uhr – Es ist zehn vor zwei.

1.20 Uhr – Es ist . . . .   12.40 Uhr – Es ist . . . .

4.05 Uhr – . . . .   14.55 Uhr – . . . . –

13.10 Uhr – . . . .   21.50 Uhr – . . . .

7.30 Uhr – Es ist halb acht.   1.15 Uhr – Es ist Viertel nach eins.

9.30 Uhr – Es ist . . . .   6.15 Uhr – Es ist . . . .

16.30 Uhr – . . . .   14.15 Uhr – . . . .

8 Bitte ergänzen Sie:

a) wieviel?

1. ..... „Abendzeitung" bitte und ..... „Welt"! 2. ..... Zeitungen. 3. Und wieviel kostet ..... Karte? 4. ..... Karte 30 Pfennig. 5. Hier bitte, zählen Sie! 6. 1, 2, 3, 4, 5, 6, 7, 8, 9, – das sind ..... Stück.

b) das kostet – das macht

1. Wieviel .... eine Karte? 2. Eine Karte .... dreißig Pfennig. Möchten Sie noch etwas? 3. Ja, Zigaretten. 4. Neun Karten, das .... 2,70 DM, Zigaretten 1,– DM, und zwei Zeitungen 0,80 DM, das .... zusammen 4,50 DM.

c) bekommen – es gibt

1. Entschuldigen Sie, wo .... hier Briefmarken? 2. Briefmarken .... Sie im Postamt. 3. Und wo .... ich Postkarten? 4. Dort .... auch Postkarten. Gehen Sie erst rechts, dann links und dann geradeaus.

d) wann? – um wieviel Uhr? – wie spät?

1. Entschuldigen Sie, ... kommt hier ein Bus? 2. Zehn nach eins. 3. ...., bitte? 4. Um 1.10 Uhr. 5. Und .... ist es jetzt, bitte? 6. Jetzt ist es 12.40 Uhr.

e) Uhr – Stunde

1. Wann kommt hier ein Bus? 2. Zehn nach eins. 3. Um wieviel ..... bitte? 4. Um ein ..... zehn. 5. Und wie spät ist es bitte jetzt? 6. Jetzt ist es 12 ..... 40. 7. Das dauert aber noch lange. 8. Ja, eine halbe ....

9 Dialoge:

Wie spät ist es?

A: Wann kommt hier ein Bus?
B: ....
A: Um wieviel Uhr bitte?
B: ....
A: Wieviel Uhr ist es jetzt?
B: ....
A: Das dauert aber noch lange.
    Dann ....

Was macht das?

A: Ich möchte ....
B: Bitte sehr! Das macht ....
    Möchten Sie noch etwas?
A: Danke, nein.
    Hier sind zehn Mark.
B: Danke, zehn Mark.
    Und hier ..... Mark ..... zurück.
A: Vielen Dank! Auf Wiedersehn!

Supermarkt

Preise *(Stand 1968)*

1 Kilo Brot	– DM 0,91	1 Kilo Kartoffeln	– DM 0,23
1 Kilo Butter	– DM 7,40	1 Kilo Reis	– DM 1,50
1 Kilo Wurst	– DM 12,10	1 Kilo Fleisch	– DM 9,80
1 Kilo Käse	– DM 6,50	1 Kilo Fisch	– DM 4,80

1 kg = 1000 Gramm; 1 Pfund = 500 Gramm

Ein Kilo Butter kostet DM 7,40. Wieviel kosten 500 Gramm? – Wieviel 100 g?

4 Im Hotel

Portier:	Guten Abend, mein Herr!
Herr Hartmann:	Guten Abend! – Haben Sie ein Zimmer frei? Wenn möglich, ein Einzelzimmer mit Bad.
Portier:	Wie lange bleiben Sie?
Herr Hartmann:	Nur eine Nacht.
Portier:	Ein Einzelzimmer mit Bad – Zimmer 127!
Herr Hartmann:	Hat es auch Telefon?
Portier:	Ja, natürlich. – Haben Sie Gepäck?
Herr Hartmann:	Zwei Koffer und eine Tasche.
Portier:	Wie ist Ihr Name, bitte?
Herr Hartmann:	Hans Hartmann.
Portier:	Sie haben zwei Briefe und ein Telegramm. Haben Sie sonst noch Wünsche?
Herr Hartmann:	Nein, danke. Guten Abend!
Portier:	Guten Abend!

Haben Sie ein Zimmer?
Ja, wir haben noch ein Einzelzimmer.
Hat es ein Bad?
Ja, es hat Bad
und auch Telefon.

Haben Sie Gepäck?
Ich habe zwei Koffer
und eine Tasche.
Und habe ich Post?
Ja, Sie haben zwei Briefe.

Haben Sie Familie,
Herr Hartmann?
Ja, ich bin verheiratet
und habe drei Kinder,
zwei Jungen und ein Mädchen.

Herr Hartmann hat alles:
Er hat eine Familie, ein Haus,
ein Auto und Geld.
Und er hat viel Arbeit,
aber er hat leider keine Zeit.

Fräulein Klein hat keine Familie.
Sie hat kein Haus,
aber eine Wohnung.
Heute arbeitet sie nicht,
sie hat frei.

1 Bitte ergänzen Sie:

Ich habe Zeit.   Ich habe keine Zeit.
.... Geld.   .... kein Geld.
.... Arbeit.   .... keine Arbeit.
.... ein Haus.   .... kein Haus.
.... eine Familie.   .... keine Familie.

2 Bitte antworten Sie mit „ja":

Haben Sie Zeit?   Ja, ich habe Zeit.
Haben Sie Geld?   Ja, ...
Haben Sie Arbeit?   Ja, ...
Haben Sie ein Haus?   Ja, ...
Haben Sie eine Familie?   Ja, ...

3 Bitte antworten Sie mit „doch":

Hat er keine Zeit?   Doch, er hat Zeit.
Haben Sie kein Geld?   Doch, ...
Hat sie keine Arbeit?   Doch, ...
Haben Sie kein Haus?   Doch, ...
Hat er keine Familie?   Doch, ...

4 Bitte wiederholen Sie:

ich habe – er hat – wir haben – sie hat – sie haben   h
Er hat ein Haus. Herr Hartmann hat ein Auto. Er hat Arbeit.   ha – 'a
Ich habe viel Arbeit. Sie haben ein Telegramm. Haben Sie eine Tasche?   h
Sie hat kein Haus. Sie hat keine Arbeit, sie hat heute frei.   ha – 'a

5 Bitte ergänzen Sie:

Herr Hartmann hat Arbeit.   Fräulein Klein hat Zeit.
Er ....   Sie ....
.... viel .... heute ......
...... heute .... frei.
.... keine Zeit.   .... keine Arbeit.

28

Zeit ist Geld

Früher war er arm.
Er hatte keine Arbeit
und kein Geld.
Er hatte nichts,
nur Zeit, sehr viel Zeit.
Jetzt ist er reich.
Er hat Arbeit,
er hat ein Haus und ein Auto,
er hat alles –
nur leider keine Zeit.

6 Was war früher?

Jetzt hat er ein Haus.
Jetzt hat er ein Auto.
Jetzt hat er Geld.
Jetzt hat er Arbeit.
Jetzt hat er alles.

Bitte anworten Sie:

Früher hatte er . . . .
Früher . . . .
. . . .
. . . .
. . . .

7 Was ist jetzt?

Früher hatte ich Zeit.
Früher hatte ich nichts.
Früher war ich arm.
Früher war ich jung.

Mein Auto war neu.
Mein Auto war schnell.
Mein Auto war teuer.
Jetzt ist es alt.
Jetzt ist es langsam.
Jetzt ist es billig.

Bitte antworten Sie:

Jetzt habe ich . . . .
. . . .
Jetzt bin ich . . . .
. . . .

Jetzt . . . .
. . . .
. . . .
Es war einmal . . . .
Es war . . . .
. . . .

8 Bitte ergänzen Sie:

a) haben – habe – hat

1. Guten Abend! . . . . Sie ein Zimmer frei? Wenn möglich ein Einzelzimmer mit Bad. 2. Ein Einzelzimmer mit Bad – Zimmer 127. 3. . . . . es auch Telefon? 4. Ja, natürlich. . . . . Sie Gepäck? 5. Zwei Koffer und eine Tasche. 6. Sie . . . . zwei Briefe und ein Telegramm. 7. . . . . Sie sonst noch Wünsche? 8. Nein, danke. Guten Abend!

b) was?

1. Guten . . . . ! Haben Sie ein . . . . frei? 2. Wenn möglich ein Einzelzimmer mit . . . . 3. Wie lange bleiben Sie? 4. Nur eine . . . . 5. Ein . . . . mit Bad – Zimmer 127. 6. Hat es auch . . . . ? 7. Ja, natürlich! Haben Sie . . . . ? 8. Ich habe zwei . . . . und eine . . . . 9. Sie haben zwei . . . . und ein . . . . 10. Haben Sie sonst noch . . . . ? 11. Nein, danke. Guten . . . . !

c) ist – war; hat – hatte

1. Früher . . . . . er arm. 2. Er . . . . . keine Arbeit und kein Geld. 3. Er . . . . . nichts, nur Zeit, sehr viel Zeit. 4. Jetzt . . . . . er reich. 5. Er . . . . . Arbeit, er . . . . . ein Haus und ein Auto, er . . . . . alles, nur leider keine Zeit.

d) Was haben Sie?

(Arbeit, Auto, Bad, Familie, Haus, Kinder, Telefon, Wohnung, Zeit, Zimmer; frei, Unterricht)

9 Dialoge:

Haben Sie ein Zimmer frei?

A: Guten Abend, mein Herr!

B: Guten Abend! Haben Sie ein Zimmer frei?

A: Einzel- oder Doppelzimmer?

B: . . . . , bitte.

A: Gut, Zimmer Nr. . . . .
Und wie ist Ihr Name, bitte?

B: . . . .

A: Sie haben Post.

B: Danke. Guten Abend!

Haben Sie Zeit?

A: Kommen Sie, Herr . . . . !
Wir machen eine Fahrt!

B: Ich . . . . . leider keine Zeit.

A: Sie . . . . . keine Zeit?
Früher hatten Sie immer Zeit.

B: Ja, da . . . . . ich jung und . . . . . keine Familie.

A: Und jetzt?

B: Jetzt . . . . . ich viel Arbeit und . . . . . immer zu Haus.

30

Automation im VW-Werk

Produktion*

1947 – 8987	1957 – 472854	* PKW (Personenkraftwagen) und
1948 – 19244	1961 – 1007113	LKW (Lastkraftwagen) zusammen.
1949 – 46154	1964 – 1410715	
1955 – 329893	1965 – 1594891	

Das Volkswagenwerk produzierte 1965 insgesamt 1594891 Wagen.
Wie viele Wagen produzierte es im Jahr 1957? – 1949? – 1947?

31

Hamburg, 1. März

Postkarte

Liebe Monika!

Herzliche Grüße aus Hamburg!
Ich war hier zwei Tage und fliege
heute abend weiter nach Berlin.
Wie geht es Dir? Und was machen
Stefan, Evi und Klaus?

Frau
Monika Hartmann

      Viele herzliche Grüße!
      Dein Hans
PS: Meine Adresse: Hotel Krone,
    Bln., Ku-Damm 112

6000 Frankfurt/Main

Rosenstr. 9

Frankfurt, Mittwoch, 3. 3.

Postkarte

Lieber Hans!

Ich danke Dir für Deine Karte aus
Hamburg! Wie lange bleibst Du in
Berlin? Gestern hatten wir Besuch.
Ernst und Inge waren hier; sie
hatten leider wenig Zeit, kommen
aber bald wieder.

An Herrn
Hans Hartmann
Hotel Krone

      Herzliche Grüße,
auch von Stefan, Evi und Klaus,
      Deine Monika

1000 Berlin SW

Kurfürstendamm 112

Kinderreim

Eins, zwei, drei,
alt ist nicht neu,
neu ist nicht alt,
warm ist nicht kalt,
kalt ist nicht warm,
reich ist nicht arm,
arm ist nicht reich,
und hart ist nicht weich.

Sprichwörter

Aller Anfang ist schwer.
Zeit ist Geld.
Kommt Zeit – kommt Rat.
Irren ist menschlich.
Reden ist Silber – Schweigen ist Gold.

Das ABC

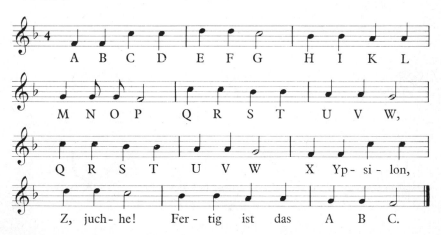

A B C D E F G H I K L
M N O P Q R S T U V W,
Q R S T U V W X Yp-si-lon,
Z, juch-he! Fer-tig ist das A B C.

6 Im Büro

Herr Hartmann: Guten Morgen, Fräulein Klein!

Fräulein Klein: Guten Morgen, Herr Hartmann! Wie war die Reise?

Herr Hartmann: Danke gut. Ich bringe viel Arbeit mit.
Hier nehmen Sie bitte den Zettel, er ist wichtig.
Und noch etwas: Ich brauche um 10 Uhr den Wagen.
Bestellen Sie ihn bitte gleich!

Fräulein Klein: Aber um 11 Uhr kommt Ingenieur Weber. Sind Sie
dann wieder zurück?

Herr Hartmann: Sicher noch nicht. Rufen Sie doch sein Büro an,
und sagen Sie, ich erwarte ihn um fünf.

Fräulein Klein: Ja, ich rufe sofort an – hier ist die Post.

Herr Hartmann: Danke! Haben Sie auch meinen Paß und das Visum?

Fräulein Klein: Ja, Ihre Papiere sind hier.

Herr Hartmann: Dann schreiben Sie bitte die Briefe fertig!
Ich nehme sie mit und lese sie zu Haus.

Das ist ein Büro.
Es ist das Büro von Herrn Hartmann.
Die Sekretärin bringt die Post.
Herr Hartmann nimmt die Briefe.

Hier ist ein Paß,
der Paß von Herrn Hartmann.
Herr Hartmann braucht den Paß
und das Visum.

Haben Sie einen Paß?
Ja, ich habe einen.
Brauchen Sie ein Visum?
Ja, ich brauche eins.

Das ist der Wagen von Herrn Hartmann.
Er braucht den Wagen um 10 Uhr.
Fräulein Klein bestellt den Wagen;
sie bestellt ihn gleich.

Herr Hartmann diktiert einen Brief,
und die Sekretärin schreibt ihn.
Herr Hartmann nimmt die Briefe mit
und liest sie zu Haus.

1 Bitte ergänzen Sie:

Hier ist das Auto.	Ich brauche das Auto.
.... der Paß.	.... den Paß.
.... das Visum.	.... das Visum.
.... die Tasche.	.... die Tasche.
.... der Wagen.	.... den Wagen.
.... die Post.	.... die Post.
.... der Zettel.	.... den Zettel.

2 Bitte antworten Sie mit „ja":

Haben Sie einen Wagen?	Ja, ich habe einen.
Haben Sie einen Paß?	Ja, ...
Haben Sie einen Brief?	Ja, ...
Haben Sie einen Koffer?	Ja, ...
Haben Sie einen Zettel?	Ja, ...

3 Wiederholen Sie die Übung. Beginnen Sie mit „Nein, ich habe keinen".

4 Bitte ergänzen Sie:

Brauchen Sie ein Visum?	Ja, ich brauche eins.
Haben Sie einen Paß?	Ja, ...
Haben Sie eine Wohnung?	Ja, ...
Bestellen Sie ein Taxi?	Ja, ...
Kaufen Sie eine Zeitung?	Ja, ...

5 Wiederholen Sie die Übung. Beginnen Sie „Nein, ich brauche keins".

6 Bitte antworten Sie:

Brauchen Sie das Auto?	Ja, ich brauche es.
Brauchen Sie den Paß?	Ja, ...
Brauchen Sie die Tasche?	Ja, ...
Brauchen Sie das Visum?	Ja, ...
Brauchen Sie den Wagen?	Ja, ...
Brauchen Sie die Papiere?	Ja, ...

7 Wiederholen Sie die Übung. Beginnen Sie mit „Nein, ich brauche es nicht".

Ein Gespräch

A: Kennen Sie den?

B: Wen?

A: Na ihn, den Herrn dort!

B: Nein, ihn kenne ich nicht,
   aber ich kenne sie.

A: Wen?

B: Na, die Frau!

A: Wohnen die jetzt hier?

B: Ich glaube ja, aber ich
   weiß es nicht.

8 **Bitte antworten Sie „Ich weiß es nicht":**

Wann kommt der Wagen?	Ich weiß es nicht.
Wo ist das Büro?	. . . .
Wohin fahren die Leute?	. . . .
Ist Herr Hartmann schon zurück?	. . . .
Muß er morgen arbeiten?	. . . .
Kann ich hier telefonieren?	. . . .

9 **Bitte antworten Sie „Ja, ich kenne ihn":**

Kennen Sie Herrn Hartmann?	Ja, ich kenne ihn.
Kennen Sie Herrn Schmitt?	Ja, ...
Kennen Sie Fräulein Klein?	Ja, ...
Kennen Sie Herrn Weber?	Ja, ...
Kennen Sie Frau Hartmann?	Ja, ...
Kennen Sie Herrn und Frau Hartmann?	Ja, ...

10 **Wiederholen Sie die Übung. Beginnen Sie „Nein, ich kenne ihn nicht".**

37

11 Bitte ergänzen Sie:

a) der – den; er – ihn
1. Hier ist . . . . . . Zettel. 2. Nehmen Sie . . . . . . bitte! . . . . . . ist wichtig. 3. Und noch etwas: Ich brauche um 10 Uhr . . . . . . Wagen. 4. Bestellen Sie . . . . . . bitte gleich!

b) der – er; den – ihn; die – sie; das – es
1. Wie war . . . . . Reise? 2. Danke, gut. Ich bringe viel Arbeit mit. 3. Hier nehmen Sie bitte . . . . . Zettel, ... ist wichtig. 4. Und noch etwas: Ich brauche um 10 Uhr . . . . . Wagen. Bestellen Sie . . . . . bitte gleich! 5. Aber um 11 Uhr kommt Herr Weber. Sind Sie dann wieder zurück? 6. Sicher noch nicht. Rufen Sie doch . . . . . Büro an, und sagen Sie, ich erwarte . . . . . um fünf. 7. Ich rufe sofort an. Hier ist . . . . . Post. 8. Danke! Haben Sie . . . . . Paß und . . . . . Visum? 9. Ja, ... Papiere sind hier. 10. Dann schreiben Sie bitte . . . . . Briefe fertig. 11. Ich nehme . . . . . dann mit und lese . . . ,. zu Haus.

12. Kennen Sie . . . . . ? 13. Wen? 14. Na, ihn, ... Herrn dort! 15. Nein, ... kenne ich nicht, aber ich kenne sie. 16. Wen? 17. Na, ... Frau! Wohnen . . . . . . jetzt hier? 19. Ich glaube ja, aber ich weiß es nicht.

c) mein – Ihr – sein
1. Um 11 Uhr kommt Herr Weber. Sind Sie dann wieder zurück? 2. Sicher noch nicht. Rufen Sie doch . . . . . Büro an! 3. Ja, ich rufe sofort an. – Hier ist . . . . . Post. 4. Haben Sie auch . . . . . Paß und . . . . . Visum? 5. Ja, ... Papiere sind hier.

12 Dialoge:

Hallo Taxi!	**Ich möchte zahlen!**
A: Hallo, Taxi!	A: Ich möchte zahlen.
B: Hier Taxistand Hauptbahnhof.	B: Wie war Ihre Zimmernummer?
A: Ich brauche einen Wagen.	A: Nr. . . . .
B: Wo sind Sie bitte?	B: Einzelzimmer mit Frühstück,
A:	das macht . . . .
Wann kommen Sie?	A: Und bestellen Sie bitte ein Taxi!
B: In 5 Minuten.	B: Das Taxi kommt gleich.
A: Gut, ich warte.	A: Danke! Auf Wiedersehn!

Hochofen im Ruhrgebiet

Industrie und Verwaltung

Einige deutsche Firmen in Abkürzungen:

AEG Allgemeine Elektricitäts-Aktiengesellschaft (Elektroindustrie)
BASF Badische Anilin- und Sodafabrik (Chemische Produkte)
BMW Bayerische Motorenwerke (Autoindustrie)
MAN Maschinenfabrik Augsburg-Nürnberg (Maschinen und Lastkraftwagen)
§ Siemens Aktiengesellschaft (Elektroindustrie)

Was bedeutet AG? Das bedeutet „Aktiengesellschaft."
Was heißt z. B.? Das heißt „zum Beispiel".

7 Am Abend

Herr Weber:	Hallo, Fräulein Klein!
Fräulein Klein:	Guten Abend, Herr Weber! Was machen Sie hier?
Herr Weber:	Sagen Sie, was haben Sie heute abend vor?
Fräulein Klein:	Ich will ins Kino gehen.
Herr Weber:	Das paßt gut. Ich möchte auch ins Kino gehen.
	Darf ich Sie begleiten?
Fräulein Klein:	Natürlich, warum nicht?
Herr Weber:	Wir haben eine halbe Stunde Zeit.
	Wollen wir noch Kaffee trinken?
	Darf ich Sie einladen?
Fräulein Klein:	Ja gern, aber ich muß noch zu Haus anrufen.
Herr Weber:	Sie können auch im Café telefonieren.
Fräulein Klein:	Ja, das kann ich tun.
Herr Weber:	Gut, – wollen wir gehen?

Fräulein Klein sagt:
Ich will ins Kino gehen.
Herr Weber will auch ins Kino gehen,
denn er möchte den Film auch sehen.

Sie müssen eine halbe Stunde warten
und wollen noch Kaffee trinken.
Fräulein Klein muß zu Haus anrufen,
denn ihre Mutter wartet auf sie.

Herr Weber sagt:
Sie können auch im Café telefonieren.
Fräulein Klein antwortet:
Ja, das kann ich tun.

Herr Weber fragt:
Darf ich Sie was fragen?
Darf ich Sie begleiten?
Und darf ich Sie ins Kino einladen?

Sie wollen über die Straße gehen,
aber sie müssen warten.
Jetzt dürfen sie gehen,
denn die Ampel ist grün.
Sie können die Straße überqueren.

1 Bitte ergänzen Sie:

Ich will fragen.	Ich kann kommen.	Ich muß gehen.
.... gehen.	.... bleiben.	.... lernen.
.... fahren.	.... fahren.	.... warten.
.... bleiben.	.... anrufen.	.... arbeiten.
.... telefonieren.	.... warten.	.... anrufen.

2 Bitte ergänzen Sie „Er kann auch kommen":

Ich kann kommen.	Er kann auch kommen.
Ich muß gehen.	Er muß ....
Ich will fragen.	Er ....
Ich muß warten.	Er ....
Ich will telefonieren.	Er ....
Ich kann bleiben.	Er ....

3 Wiederholen Sie die Übung mit „Sie kann auch kommen".

4 Bitte ergänzen Sie „Wir können nicht kommen":

Sie können kommen.	Wir können nicht kommen.
Sie dürfen gehen.	Wir dürfen ....
Sie wollen fragen.	Wir ....
Sie wollen telefonieren.	Wir ....
Sie können warten.	Wir ....
Sie können bleiben.	Wir ....

5 Bitte fragen Sie höflich:

Sie wollen Fräulein Klein begleiten:	Darf ich Sie .... ?
Sie wollen sie einladen:	.... ?
Sie wollen sie ins Kino einladen:	.... ?
Sie wollen hier telefonieren:	.... ?
Sie wollen etwas fragen:	.... ?

42

Über das Wetter

A: Wie wird wohl das Wetter?
   Was meinen Sie?
B: Ich weiß es nicht,
   ich glaube, es wird regnen.
A: Es kann auch schon schneien.
B: Nein, so kalt ist es nicht,
   aber schön wird es kaum bleiben.
A: Ja, besser wird es bestimmt nicht.
   Der Sommer ist vorbei,
   und bald kommt wieder
   der Winter.

6 Bitte ergänzen Sie:

Er wird kommen.   Es wird wohl regnen.
. . . . bleiben.   . . . . schneien.
. . . . schreiben.   . . . . schön bleiben.
. . . . anrufen.   . . . . ein Gewitter kommen.
. . . . mitgehen.   . . . . nicht besser.

7 Bitte antworten Sie mit „ja":

Müssen Sie jetzt gehen?   Ja, ich muß jetzt gehen.
Kann er heute kommen?   Ja, er . . . .
Wird es wohl regnen?   Ja, ...
Wollen Sie ihn fragen?   Ja, ...
Wird er noch kommen?   Ja, ...
Kann er hier bleiben?   Ja, ...
Muß er noch arbeiten?   Ja, ...
Wollen Sie mitfahren?   Ja, ...
Wird er noch anrufen?   Ja, ...
Können Sie ihn einladen?   Ja, ...

43

8 Bitte ergänzen Sie:

a) können – müssen – wollen – dürfen – möchte

1. Ich .... ins Kino gehen. 2. Das paßt gut. Ich .... auch ins Kino gehen. .... ich Sie begleiten? 3. Natürlich, warum nicht? 4. Wir haben eine halbe Stunde Zeit. .... wir noch einen Kaffee trinken? 5. .... ich Sie einladen? 6. Ja gern, aber zuerst .... ich zu Haus anrufen. Meine Mutter wartet auf mich. 7. Sie .... auch im Café telefonieren. 8. Das .... ich tun. 9. Gut, ... wir gehen?

b) Verben

1. Guten Abend, Herr Weber! Was .... Sie hier? 2. Sagen Sie, was .... Sie heute abend vor? 3. Ich will ins Kino .... 4. Das paßt gut. Ich will auch ins Kino .... 5. Darf ich Sie ....? 6. Natürlich, warum nicht? 7. Wir .... eine halbe Stunde Zeit. 8. Wollen wir noch einen Kaffee ....? 9. Darf ich Sie ....? 10. Ja gern, aber zuerst muß ich zu Haus .... 11. Meine Mutter .... auf mich. 12. Sie können auch im Café .... 13. Das kann ich .... 14. Gut, wollen wir ....?

c) kann – wird – kommt

1. Wie ..... wohl das Wetter? Was meinen Sie? 2. Ich weiß es nicht, ich glaube es ..... regnen. 3. Na, vielleicht ..... ein Gewitter. 4. Es ..... auch hageln. 5. Nein, so kalt ist es nicht, aber so ..... es kaum bleiben. 6. Ja, besser ..... es bestimmt nicht.

9 Dialoge:

Kann ich telefonieren?

A: Kann ich telefonieren?
B: Ein Ferngespräch?
A: Ja, nach ....
B: Wie ist die Nummer bitte?
A: ....
B: Einen Moment bitte!
A: Wo kann ich sprechen?
B: Kabine 2 bitte!
A: Danke!

Darf ich Sie begleiten?

A: Haben Sie was vor?
B: Ich möchte ....
A: Darf ich Sie begleiten?
B: Ja, gern.
A: Haben Sie nachher noch Zeit?
B: Nein, leider nicht, denn ....
....
A: Darf ich Sie nach Haus bringen?
B: Danke, ...

Kurfürstendamm in Berlin mit Blick zur Gedächtniskirche

Die größten Städte in Deutschland und ihre Einwohnerzahlen:

1. Berlin	3 271 000	6. Düsseldorf	699 000
2. Hamburg	1 857 000	7. Frankfurt	688 000
3. München	1 192 000	8. Dortmund	654 000
4. Köln	848 000	9. Stuttgart	632 000
5. Essen	728 000	10. Leipzig	595 000

8   Ein Unfall

Herr Hartmann: Ich brauche Ihre Hilfe, Herr Maier.

Herr Maier: Wenn ich helfen kann, gern.

Herr Hartmann: Meine Frau hatte einen Unfall.

Herr Maier: Hoffentlich ist sie nicht verletzt.

Herr Hartmann: Nein, zum Glück nicht. Aber der Motor
               ist leider kaputt. Sehen Sie ihn bitte an,
               und reparieren Sie ihn, wenn es möglich ist.

Herr Maier: Und was machen Sie so lange ohne Wagen?

Herr Hartmann: Wann bekomme ich einen neuen Wagen,
               wenn ich ihn sofort bestelle?

Herr Maier: Wenn alles klappt, ist er in vier Wochen da.

Herr Hartmann: Dann bestellen Sie ihn bitte sofort,
               und schicken Sie morgen einen Leihwagen.

Herr Maier: Ist es früh genug, wenn Sie ihn um 11 Uhr haben?

Herr Hartmann: Ja, das genügt.

Herr Maier: Besten Dank, Herr Hartmann. Auf Wiedersehen!

Herr Hartmann sagt:
Ich brauche Ihre Hilfe.
Herr Maier antwortet:
Wenn ich helfen kann, gern.

Der Motor ist kaputt.
Sehen Sie ihn bitte an,
und reparieren Sie ihn,
wenn es möglich ist.

Wann bekomme ich den neuen Wagen,
wenn ich ihn sofort bestelle?
Wenn alles klappt,
ist er in vier Wochen da.

Ist es früh genug,
wenn Sie den Wagen um 11 Uhr haben?
Wenn ich ihn um elf bekomme,
genügt es.

Wann fahren Sie in Urlaub?
Wenn es nicht mehr regnet.
Wenn es aber vier Wochen regnet?
Dann bleibe ich eben zu Haus.

1 Bitte antworten Sie: „Ja, wenn ich Zeit habe":

Kommen Sie heute abend?	Ja, wenn ich Zeit habe.
Gehen Sie ins Kino?	Ja, ...
Machen Sie eine Reise?	. . . .
Bleiben Sie morgen hier?	. . . .
Rufen Sie Herrn Maier an?	. . . .

2 Bitte antworten Sie: „Wenn es möglich ist, gern":

Kommen Sie heute abend?	Wenn es möglich ist, gern.
Reparieren Sie den Wagen?	. . . .
Holen Sie ihn ab?	. . . .
Bestellen Sie den Wagen?	. . . .
Fahren Sie mit nach Berlin?	. . . .

3 Bitte antworten Sie:

Vielleicht haben Sie Zeit.	
Kommen Sie heute abend?	Ja, wenn ich Zeit habe.
Vielleicht ist der Film gut.	
Gehen Sie mit ins Kino?	Ja, wenn der Film . . .
Vielleicht bekommen Sie den Wagen.	
Machen Sie eine Reise?	Ja, ...
Vielleicht regnet es.	
Bleiben Sie morgen zu Haus?	Ja, ...
Vielleicht ist Herr Maier zu Haus.	
Rufen Sie ihn an?	Ja, ...

4 Bitte wiederholen Sie:

Wenn ich Zeit habe, komme ich.
Wenn der Film gut ist, gehe ich mit.
Wenn der Wagen kommt, mache ich die Reise.
Wenn es regnet, bleibe ich zu Haus.
Wenn er zu Haus ist, rufe ich ihn an.

Warum?

A: Sagen Sie,
   warum kommt Paul denn heute nicht?
B: Er hat wohl keine Zeit.
   Vielleicht will er auch nicht kommen.
C: Ich glaube, er kommt nicht,
   weil er krank ist
   oder weil er noch arbeiten muß.
A: Vielleicht kommt er nur nicht,
   weil es regnet.

5 Warum kommt er nicht? Bitte beginnen Sie mit „weil":

Es regnet.	Weil es regnet.
Er ist krank.	Weil . . . .
Er hat keine Zeit.	. . . .
Er muß noch arbeiten.	. . . .
Er will nicht kommen.	. . . .

6 Bitte wiederholen Sie:

Er kommt nicht, weil es regnet.
Er kommt nicht, weil er krank ist.
Er kommt nicht, weil er keine Zeit hat.
Er kommt nicht, weil er noch arbeiten muß.
Er kommt nicht, weil er nicht kommen will.

7 Bitte antworten Sie:

Er kommt nicht, denn es regnet.	
Warum kommt er denn nicht?	Weil es regnet.
Wann kommt er dann?	Wenn es nicht mehr regnet.
Er kommt nicht, denn er muß noch arbeiten.	
Warum kommt er denn nicht?	Weil . . . .
Wann kommt er dann?	Wenn . . . .

49

8 Bitte ergänzen Sie:

a) wann? – wenn – dann

1. Ich brauche Ihre Hilfe, Herr Maier. 2. ..... ich helfen kann, gern. 3. Holen Sie bitte meinen Wagen ab und reparieren Sie ihn, ... es möglich ist. 4. Und was machen Sie so lange ohne Wagen? 5. ..... bekomme ich einen neuen Wagen, ... ich ihn sofort bestelle? 6. ..... alles klappt, ist er in vier Wochen da. 7. ..... bestellen Sie ihn bitte sofort, und schicken Sie morgen einen Leihwagen! 8. Ist es früh genug, ... Sie ihn um 11 Uhr haben? 9. Ja, ... ich ihn um 11 Uhr habe, das genügt.

b) warum? – weil

1. Sagen Sie, ... kommt Paul heute nicht? 2. Er hat wohl keine Zeit. Oder vielleicht will er nicht kommen. 3. Ich glaube, er kommt nicht, ... er krank ist oder ..... er noch arbeiten muß. 4. Vielleicht kommt er nur nicht, ... es schneit.

c) Verben

1. Ich .... Ihre Hilfe, Herr Maier. 2. Wenn ich .... kann, gern. 3. Meine Frau .... einen Unfall. 4. Hoffentlich ..... sie nicht verletzt. 5. Nein, zum Glück nicht. Aber der Motor ..... kaputt. 6. .... Sie bitte den Wagen an, und .... Sie ihn, wenn es möglich ..... 7. Und was .... Sie so lange ohne Wagen? 8. Wann .... ich einen neuen Wagen, wenn ich ihn sofort ....? 9. Wenn alles klappt, ... er in vier Wochen da. 10. Dann .... Sie ihn bitte sofort, und .... Sie morgen einen Leihwagen! 11. ..... es früh genug, wenn Sie ihn um 11 Uhr ....? 12. Ja, das ....

9 Dialoge:

Tanken bitte!

A: Tanken bitte!
B: Super?
A: Nein, ...
B: Und wieviel?
A: ....
B: Haben Sie noch einen Wunsch?
A: Nein, danke!
B: ..... Liter, das macht ....
    Zahlen Sie bitte an der Kasse!

Eine Panne

A: Ich habe eine Panne.
B: Was fehlt denn?
A: Der Motor springt nicht an.
B: Wo steht Ihr Wagen?
A: ....
B: Müssen wir ihn abschleppen?
A: Nein, ich glaube nicht.
B: Warten Sie einen Moment, dann fährt
    ein Mechaniker mit.

Autobahn Frankfurt-Würzburg

Autobahnen in der Bundesrepublik Deutschland

Gesamtnetz:
fertig: 3 431 km; *im Bau:* 850 km; *geplant:* 2 000 km

Teilstrecken:

Berlin–München 555,6 km; Berlin–Köln   548,4 km
Hamburg–Basel 799,7 km; Aachen–Salzburg   767,8 km

Die Entfernung zwischen Berlin und München beträgt 555,6 km.
Wie groß ist die Entfernung zwischen Hamburg und Basel?

9 Der Geburtstag

Frau Hartmann: Wie gefällt dir die Kamera?
Herr Hartmann: Mir? – Gut! Wem gehört sie denn?
Frau Hartmann: Stefan. – Du weißt doch, er hat heute Geburtstag.
                       Ich möchte sie ihm schenken.
Herr Hartmann: Ja natürlich. Ich vergesse die Geburtstage immer.
Frau Hartmann: Gibst du ihm die Kamera, wenn du ihm gratulierst?
                       Das freut ihn bestimmt. – Da kommt er ja.
Herr Hartmann: Stefan, wie geht es dir?
Stefan: Mir? – Prima! Aber warum fragst du mich?
Herr Hartmann: Du hast doch heute Geburtstag. Mutti und ich
                       gratulieren dir und schenken dir den Fotoapparat.
                       Gefällt er dir?
Stefan: Ja, vielen Dank, Mutti! – Vielen Dank, Vati!
                       Wie funktioniert denn der Apparat?
Herr Hartmann: Moment! Ich zeige es dir, und dann machst du
                       eine Aufnahme von uns allen.

Wie gefällt dir die Kamera?
Mir? – Gut! Wem gehört sie denn?
Stefan hat heute Geburtstag,
ich möchte sie ihm schenken.

Der Vater fragt ihn:
Wie geht es dir, Stefan?
Stefan antwortet ihm:
Mir? Mir geht es prima.

Dann gratuliert ihm der Vater
und gibt ihm den Apparat.
Stefan dankt Mutti und Vati;
er dankt ihr und ihm.

Stefan dankt dem Vater
und der Mutter.
Er dankt seinen Eltern;
dann zeigt er Klaus und Evi
die Kamera;
er zeigt sie ihnen.

1 Bitte ergänzen Sie:

Er fragt mich.	Er hilft mir.	Das gehört mir.	Er gibt es mir.
.... dich.	...... dir.	.... dir.	.... dir.
.... ihn.	...... ihm.	.... ihm.	.... ihm.
.... sie.	...... ihr.	.... ihr.	.... ihr.
.... uns.	...... uns.	.... uns.	.... uns.
.... euch.	...... euch.	.... euch.	.... euch.
.... sie.	...... ihnen.	.... ihnen	.... ihnen.

2 Bitte antworten Sie mit „ja":

Gehört Ihnen das Auto?	Ja, es gehört mir.
Gehört Ihnen der Paß?	Ja, er ....
Gehört Ihnen die Tasche?	Ja, ...
Geben Sie ihm die Kamera?	Ja, ich ....
Geben Sie ihm das Geld?	Ja, ...
Geben Sie ihm die Briefe?	Ja, ...
Zeigen Sie ihr das Haus?	Ja, ich ....
Zeigen Sie ihr die Wohnung?	Ja, ...
Zeigen Sie ihr das Foto?	Ja, ...
Helfen Sie den Kindern?	Ja, ich helfe ihnen.
Geben Sie es den Kindern?	Ja, ...
Danken die Kinder den Eltern?	Ja, ...

3 Bitte antworten Sie mit „nein":

Gehört Ihnen das?	Nein, das gehört mir nicht.
Gefällt Ihnen das?	....
Hilft Ihnen das?	....
Ist Ihnen das gleich?	....
Dauert Ihnen das zu lange?	....

Die Verabredung

Sie sehen sich.

Sie treffen sich.

Er freut sich;

sie freut sich auch.

Sie setzen sich und unterhalten sich.

Sie streiten sich.

Dann fragt sie ihn: „Liebst du mich?"

Er sagt: „Ja, ich liebe dich!"

Dann sehen sie sich an

und verstehen sich wieder.

4   Bitte ergänzen Sie:

sich freuen   Sie freuen sich.

sich treffen   Sie ....

sich sehen   ....

sich setzen   ....

sich streiten   ....

sich unterhalten   ....

5   Bitte ergänzen Sie:

sich freuen   Ich freue mich.

sich setzen   Ich ....

sich unterhalten   ....

6   Bitte ergänzen Sie „Er freut sich auch":

Sie freut sich.   Er freut sich auch.

Sie setzt sich.   Er ....

Sie unterhalten sich.   ....

7 Bitte ergänzen Sie:

a) mir – dir – ihm – uns

1. Wie gefällt ..... die Kamera? 2. .....? Gut! Wem gehört sie denn? 3. Du weißt doch, Stefan hat heute Geburtstag. Ich will sie ..... schenken. 4. Ja, natürlich! Ich vergesse die Geburtstage immer. 5. Gibst du ..... die Kamera, wenn du ..... gratulierst? 6. Stefan, wie geht es .....? 7. ..... geht es prima! 8. Mutti und ich gratulieren ..... und schenken ..... den Fotoapparat. 9. Vati, erklärst du ..... bitte den Apparat? 10. Ja gut, ich zeige es ....., und du machst eine Aufnahme von ..... allen.

b) mir – mich; dir – dich; ihm – ihn

1. Wie gefällt ..... die Kamera? 2. .....? Gut! 3. Stefan hat heute Geburtstag. Ich will sie ..... schenken. 4. Gibst du ..... die Kamera, wenn du ..... gratulierst? 5. Das freut ..... bestimmt. 6. Stefan, wie geht es .....? 7. Mir? Warum fragst du .....? 8. Du hast doch heute Geburtstag. Mutti und ich gratulieren ..... herzlich und schenken ..... den Fotoapparat.

c) Verben

1. Wie .... dir die Kamera? 2. Wem .... sie denn? 3. Stefan hat heute Geburtstag. Ich will sie ihm .... 4. Ja, natürlich! Ich .... die Geburtstage immer. 5. .... du ihm die Kamera, wenn du ihm ....? 6. Das .... ihn bestimmt. 7. Stefan, wie geht es dir? 8. Mir? Prima! Aber warum .... du mich? 9. Du hast doch heute Geburtstag. Mutti und ich .... dir und .... dir den Fotoapparat. 10. Vati, ... du mir bitte den Apparat? 11. Ja gut, ich .... es dir, und du .... eine Aufnahme von uns allen.

8 Dialoge:

Herzlichen Glückwunsch!

A: Sie haben ja Geburtstag!

B: Woher wissen Sie das?

A: Ich weiß es von ....
   Herzlichen Glückwunsch!

B: Danke! Das ist sehr aufmerksam von Ihnen.

Was wünschen Sie?

A: Ich möchte einen Fotoapparat.

B: In welcher Preislage?

A: Wieviel kostet denn eine Kamera?

B: Die hier ..... DM und die ..... DM.

A: Ich nehme die da.

B: Gut. Hier ist Ihr Kassenzettel.

Modell der Münchner Olympiaanlagen

Olympiade 1972 in München

Olympische Sportarten:

Leichtathletik: Laufen, Hoch- und Weitsprung, Speerwerfen, Diskuswerfen, Hammerwerfen, Kugelstoßen, Zehnkampf;

Schwimmen, Turnen, Boxen, Ringen, Fechten, Fußball, Hockey, Rudern, Reiten,
Schießen;

Skilaufen, Bobfahren, Eiskunstlauf.

10

Es, es, es und es ... (Volkslied)

1. Es, es, es und es, es ist ein har - ter Schluß,
weil, weil, weil und weil, weil ich aus Frankfurt muß.

So schlag ich Frankfurt aus dem Sinn und wen-de mich, Gott

weiß, wo hin. Ich will mein Glück pro - bie - ren, mar - schie - ren.

2. Er, er, er und er, Herr Meister, leb' er wohl!
   Er, er, er und er, Herr Meister, leb' er wohl!
   Ich sag's ihm grad frei ins Gesicht,
   seine Arbeit, die gefällt mir nicht.
   Ich will mein Glück probieren, marschieren.

3. Sie, sie, sie und sie, Frau Meist'rin, leb' sie wohl!
   Sie, sie, sie und sie, Frau Meist'rin, leb' sie wohl!
   Ich sag ihr grad frei ins Gesicht,
   ihr Speck und Kraut, das schmeckt mir nicht.
   Ich will mein Glück probieren, marschieren.

4. Ihr, ihr, ihr und ihr, ihr Brüder lebet wohl!
   Ihr, ihr, ihr und ihr, ihr Brüder lebet wohl!
   Hab ich euch was zu Leid getan,
   so bitt ich um Verzeihung an.*
   Ich will mein Glück probieren, marschieren.

5. Ihr, ihr, ihr und ihr, ihr Mädchen lebt nun wohl!
   Ihr, ihr, ihr und ihr, ihr Mädchen lebt nun wohl!
   Ich wünsche euch zu guterletzt
   einen andern, der mein Stell ersetzt.
   Ich will mein Glück probieren, marschieren.

* „...bitt ich um Verzeihung an." = ich bitte um Verzeihung

Trauriger Abzählreim

Ich liebe dich
Du liebst mich nicht
Ich bin die Nacht
Du bist das Licht
Ich bin der Schmerz
Du bist das Glück
Drum schaue nie
zu mir zurück
Ich weiß und fühl es
bitterlich:
Du liebst mich nicht
Ich liebe dich.   *Ernst Ginsberg*

Sprichwörter

Eile mit Weile.
Wie du mir – so ich dir.
Am Abend wird der Faule fleißig.
Wer nicht hören will, muß fühlen.

Martin gibt sein Urteil ab

Die Mutter verteilt den Schokoladenpudding auf sechs Tellerchen und nimmt
es sehr genau. Hier ist noch etwas zu viel, dort und dort kann man noch ein
Löffelchen zugeben. Nein, nun kommt der erste doch wohl zu schlecht weg. Sie
vergleicht und wägt, und alle sehen erwartungsvoll zu. Und langsam läuft ihnen
das Wasser im Munde zusammen.

   Schließlich fragt die Mutter mehr sich selbst als die anderen:
„So, wer hat nun zu wenig?“
„Alle“, sagt Martin.   *Manfred Hausmann*

11 Der Besuch

Frau Schulz ist bei Frau Hartmann zum Kaffee. Nach einer Stunde
sagt Frau Schulz:

Frau Schulz: Es war sehr schön bei Ihnen, Frau Hartmann.
Ich danke Ihnen für die Einladung, aber für
mich ist es leider Zeit.

Frau Hartmann: Wollen Sie nicht noch eine Tasse trinken?
Mit dem Wagen sind Sie ja schnell zu Haus.

Frau Schulz: Gut, eine Tasse noch, ohne Zucker bitte!

Frau Hartmann: Müssen Sie denn schon nach Haus?

Frau Schulz: Ich fahre nicht direkt nach Haus, sondern hole
meine Tochter von der Schule ab. Sie kommt um
5 Uhr aus dem Unterricht.

Frau Hartmann: Dann fahren Sie sicher zur Stadtmitte. Kann ich
mitfahren? Ich muß noch einkaufen. Ich kann ja
mit dem Bus oder mit der Straßenbahn zurückfahren.

Frau Schulz: Selbstverständlich! Können wir gleich fahren?

Frau Schulz ist bei Frau Hartmann.
Frau Hartmann trinkt den
Kaffee mit Milch und Zucker,
Frau Schulz trinkt ihn ohne Zucker.

Frau Schulz sagt:
Es war sehr schön bei Ihnen.
Ich danke Ihnen für die Einladung,
aber für mich ist es leider Zeit.

Dann fährt sie mit dem Wagen
zur Schule und holt ihre Tochter
von der Schule ab.
Sie kommt um 5 Uhr aus dem
Unterricht.

Frau Hartmann fährt mit.
Sie fährt zur Stadtmitte,
denn sie muß noch einkaufen.
Dann fährt sie mit dem Bus zurück.

Mit wem fährt Frau Hartmann?
Sie fährt mit Frau Schulz.
Womit fahren sie?
Sie fahren mit dem Wagen.

1 Bitte ergänzen Sie:

Er kommt von Berlin.
. . . . Paris.
. . . . Ankara.
. . . . Tokio.
. . . . New York.

2 Bitte ergänzen Sie:

Er kommt aus dem Büro.
. . . . Kino.
. . . . Stadt.
. . . . Hotel.
. . . . Schule.

Wiederholen Sie die Übung. Beginnen Sie:

„Er kommt aus Berlin."

„Er kommt vom Büro."

3 Bitte ergänzen Sie:

Ich gehe zu Frau Hartmann.
. . . . Fräulein Klein.
. . . . Herrn Maier.
. . . . Familie Schulz.
. . . . Herrn Weber.

4 Bitte ergänzen Sie:

Ich gehe zu meinem Vater.
. . . . Mutter.
. . . . Bruder.
. . . . Schwester.
. . . . Eltern.

Wiederholen Sie die Übung. Beginnen Sie:

„Ich war bei Frau Hartmann."

„Ich bin bei meinem Vater."

5 Bitte ergänzen Sie:

Fahren Sie mit dem Wagen?
. . . . Auto?
. . . . Bus?
. . . . Straßenbahn?
. . . . Taxi?

Ich danke Ihnen für die Einladung.
. . . . Brief.
. . . . Telegramm.
. . . . Hilfe.
. . . . Kaffee.

6 Bitte wiederholen Sie:

schön – schnell – schon – schreiben – Schule – Schwester	ʃ – ʃr – ʃv
Tasche – Stadt – Straßenbahn – bestellen – selbstverständlich	ʃt
Ich fahre schnell in die Stadt. – Er war gestern in Stockholm.	ʃt –st
sprechen – Sprache – Aussprache – Er spricht zu schnell.	ʃpr

Sein Hobby

A: Was machen Sie denn mit dem Wagen?
   Damit kann man doch nicht mehr fahren.
B: Ich will ihn reparieren.
A: Verstehen Sie denn etwas davon?
   Warum verkaufen Sie ihn denn nicht?
   Sie bekommen sicher noch Geld dafür.
B: Wofür? Für den Wagen?
   Was zahlen Sie denn dafür?
A: Ich? Nichts! Ich denke nicht daran!
   Ich gehe lieber zu Fuß.

7 Bitte antworten Sie:

Fahren Sie noch mit dem Auto?   Ja, ich fahre noch damit.
Verstehen Sie etwas von Autos?   Ja, ...
Bekommen Sie noch viel für das Auto?   Ja, ...
Denken Sie an die Fahrt?   Ja, ...
Warten Sie auf das Taxi?   Ja, ...

8 Antworten Sie auf die Fragen:

Er kommt aus dem Haus.   Woher kommt er?   ....
Sie geht zum Postamt.   Wohin geht sie?   ....
Ich wohne bei meinen Eltern.   Wo wohnen Sie?   ....
Wir fahren mit dem Bus.   Womit fahren Sie? ....
Sie fährt zur Stadtmitte.   Wohin fährt sie?   ....
Er kommt von der Schule.   Woher kommt er?   ....
Er kommt nach dem Essen.   Wann kommt er?   ....
Sie dankt für die Einladung.   Wofür dankt sie?   ....

9 Bitte ergänzen Sie:

a) bei – mit – nach – von – zu – für – ohne – aus – um

1. Frau Schulz ist ..... Frau Hartmann ..... Kaffee. 2. ..... einer Stunde sagt Frau Schulz. 3. Es war sehr schön ..... Ihnen, Frau Hartmann. 4. Ich danke Ihnen .... Einladung, aber ..... mich ist es leider Zeit. 5. Wollen Sie nicht noch eine Tasse trinken? .... Wagen sind Sie ja schnell ..... Haus. 6. Gut, eine Tasse noch, ... Zucker bitte! 7. Müssen Sie denn schon ..... Haus? 8. Ich hole meine Tochter .... Schule ab. 9. Sie kommt ..... 5 Uhr .... Unterricht. 10. Dann fahren Sie sicher ..... Stadtmitte. Kann ich mitfahren? 11. Ich kann dann .... Bus oder .... Straßenbahn zurückfahren.

b) für – dafür; mit – damit; daran, davon

1. Was machen Sie denn ..... dem Wagen? .... kann man doch nicht mehr fahren. 2. Ich will ihn reparieren. 3. Verstehen Sie denn etwas ....? 4. Warum verkaufen Sie ihn denn nicht? Sie bekommen sicher viel Geld .... 5. Wofür? ..... den Wagen? Was zahlen Sie denn ....? 6. Nichts! Ich denke nicht ....! Ich gehe lieber zu Fuß.

c) Verben

1. Frau Schulz ..... bei Frau Hartmann. 2. Es ..... sehr schön bei Ihnen. 3. Ich ..... Ihnen für die Einladung, aber für mich ..... es leider Zeit. 4. Mit dem Wagen ..... Sie schnell zu Haus. 5. Müssen Sie denn schon nach Haus ....? 6. Ich .... nicht direkt nach Haus, sondern .... meine Tochter von der Schule ab. 7. Sie .... um 5 Uhr aus dem Unterricht.

10 Dialoge:

Kann ich mitfahren?	**Kann ich Sie mitnehmen?**
A: Fahren Sie nach ....?	A: Wie kommen Sie nach Haus?
B: Nein, nur bis	B: Mit ....
A: Kann ich das Stück mitfahren?	A: Wenn Sie wollen, kann ich Sie
B: Gern, aber	mitnehmen.
A: Brauchen Sie lange?	B: Wohnen Sie auch ....?
B:	A: Nein, aber ich fahre dorthin.
A: Schade!	Bitte steigen Sie ein!

Der Rhein bei Oberwesel

Die Länder am Rhein: die Schweiz, Liechtenstein, Österreich, Deutschland, Frankreich, Holland

Häfen: Straßburg, Mannheim, Köln, Duisburg-Ruhrort, Rotterdam

Sehenswürdigkeiten: der Bodensee, der Rheinfall bei Schaffhausen, die Lorelei

Dome: in Straßburg, Speyer, Worms, Mainz, Köln

12 Eine Reise

Fräulein Klein will mit dem Zug zu ihrer Mutter fahren. Sie packt die Koffer
und macht dann Ordnung. Da kommt Herr Weber.

Herr Weber: Guten Tag, Fräulein Klein! Sind Sie schon fertig?
Fräulein Klein: 'Tag, Herr Weber! Ja, ich bin fertig.
               Wir können gleich fahren, ich habe alles gepackt.
Herr Weber: Haben Sie auch nichts vergessen?
               – Geld, Ihren Ausweis, Hausschlüssel?
Fräulein Klein: Ich glaube, ich habe alles.
               Ich muß nur noch die Fahrkarte kaufen.
Herr Weber: Das habe ich schon getan. Ich habe die Karte gekauft
               – hier bitte! – und auch schon einen Platz bestellt.
Fräulein Klein: Das ist nett von Ihnen. Danke schön!
Sie nimmt ihren Mantel und ihre Tasche und sieht in den Spiegel.
Herr Weber nimmt die Koffer und bringt das Gepäck zum Wagen.
Dann fahren sie zum Bahnhof.

Fräulein Klein packt ihre Koffer und
macht Ordnung. – Jetzt ist sie fertig:
Sie hat die Koffer gepackt
und Ordnung gemacht.

Herr Weber kauft die Fahrkarte
und bestellt eine Platzkarte.
Er hat die Fahrkarte gekauft
und einen Platz bestellt.

Er holt sie zu Haus ab
und gibt ihr die Fahrkarte.
Er hat sie zu Haus abgeholt
und hat ihr die Fahrkarte gegeben.

Sie zieht ihren Mantel an
und sieht noch einmal in den Spiegel.
Jetzt hat sie ihren Mantel angezogen
und noch einmal in den Spiegel gesehen.

Herr Weber nimmt die Koffer
und bringt das Gepäck zum Wagen.
Er hat die Koffer genommen
und das Gepäck zum Wagen gebracht.

1 Bitte ergänzen Sie:

Ich habe die Fahrkarte gekauft.

.... eine Zeitung ....

.... Zigaretten ....

.... das Buch ....

.... einen Mantel ....

Ich habe die Fahrkarte vergessen.

.... mein Geld ....

.... den Hausschlüssel...

.... meinen Ausweis ....

.... seinen Namen ......

Ich habe eine Reise gemacht.

.... Ordnung ....

.... die Aufgaben ......

.... alles ....

.... nichts ....

Ich habe Frl. Klein gesehen.

.... den Film ....

.... die Wohnung.....

.... die Stadt ....

.... in den Spiegel ....

2 Bitte wiederholen Sie:

Sie hat ihre Koffer gepackt.

Er hat die Fahrkarte gekauft.

Er hat einen Platz bestellt.

Er hat sie abgeholt.

Sie hat ihren Mantel angezogen.

Er hat die Koffer genommen.

Er hat ihr die Fahrkarte gegeben.

Sie hat die Tasche vergessen.

Antworten Sie mit „ja":

Hat sie die Koffer gepackt?

Hat er die Fahrkarte gekauft?

Hat er die Platzkarte bestellt?

Hat er sie abgeholt?

Hat sie ihren Mantel angezogen?

Hat er die Koffer genommen?

Hat er ihr die Fahrkarte gegeben?

Hat sie die Tasche vergessen?

3 Wiederholen Sie die Übung. Antworten Sie auf die Frage:

Beispiel: L: Sie hat ihre Koffer gepackt.

              L: Was hat sie gemacht?   S: Sie hat ihre Koffer gepackt.

4 Bitte antworten Sie:

Packen Sie ihre Koffer?

Kaufen Sie die Fahrkarte?

Bestellen Sie das Taxi?

Geben Sie ihr die Fahrkarte?

Bringen Sie die Koffer zum Wagen?

Ich habe sie schon gepackt.

.... sie schon ....

.... es schon ....

.... sie ihr schon ....

.... sie schon zum Wagen ....

Der Urlaub

A: Waren Sie schon im Urlaub?

B: Ja, ich bin gerade zurückgekommen.

A: Wo sind Sie denn gewesen?

B: Ich war in Bayern.

Ich bin dort auf die Berge gestiegen.

Haben Sie noch keinen Urlaub gehabt?

A: Doch, aber ich bin nicht weggefahren;

ich bin daheim geblieben

und spazierengegangen.

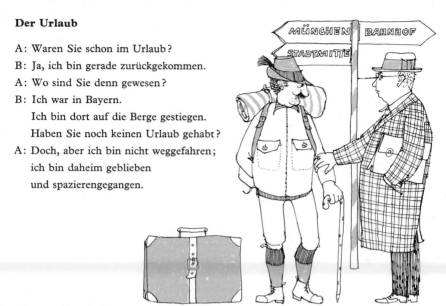

5 Bitte ergänzen Sie:

Ich bin nach Berlin gefahren.   Er ist von Paris gekommen.

...... nach Hamburg .... von New York ....

...... nach München .... von Rio ....

...... nach Köln .... von Kairo ....

...... nach Hannover .... von Tokio ....

Wir sind ins Kino gegangen.   Sie sind in Hamburg geblieben.

........in ein Café .... in Wien ....

........spazieren .... zu Haus ....

........zum Zug .... in der Stadt ....

........nach Haus .... im Hotel ....

6 Bitte ergänzen Sie:

Sie ist zum Bahnhof gefahren.   Er ist im Urlaub gewesen.

..... mit dem Zug .... in Bayern ....

.... gekommen.   .... geblieben.

..... nach Hause .... daheim ....

.... gegangen.   .... gewesen.

69

7 Bitte ergänzen Sie:

a) haben – sein

1. Ich ..... fertig. 2. Wir können gleich fahren, ich ..... alles gepackt. 3. ..... Sie auch nichts vergessen? 4. Ich glaube, ich ..... alles. Ich muß nur noch die Fahrkarte kaufen. 5. Das ..... ich schon getan. 6. Ich ..... die Fahrkarte gekauft und auch schon einen Platz bestellt. 7. Das ..... nett von Ihnen.

8. ..... Sie schon im Urlaub? 9. Ja, ich ..... gerade zurückgekommen. 10. Wo ..... Sie denn gewesen? 11. Ich ..... in Bayern. 12. Ich ..... dort auf die Berge gestiegen. 13. ..... Sie noch keinen Urlaub gehabt? 14. Doch, aber ich ..... nicht weggefahren, ich ..... hier geblieben und spazierengegangen.

b) kaufen – gekauft; packen – gepackt; fahren – gefahren usw.

1. Fräulein Klein will mit dem Zug nach Haus .... 2. Sie .... die Koffer und .... Ordnung. 3. Da .... Herr Weber. 4. .... Sie schon fertig? 5. Ja, ich .... fertig. 6. Wir können gleich ...., ich habe alles .... 7. Haben Sie auch nichts ....? 8. Ich glaube, ich .... alles. 9. Ich muß nur noch die Fahrkarte .... 10. Das habe ich schon .... 11. Ich habe die Karte .... und auch schon einen Platz .... 12. Das .... nett von Ihnen.

13. .... Sie schon im Urlaub? 14. Ja, ich bin gerade zurück- .... 15. Wo sind Sie denn ....? 16. Ich war in Bayern und bin auf die Berge .... 17. Haben Sie noch keinen Urlaub ....? 18. Doch, aber ich bin nicht weg- .... 19. Ich bin daheim .... und spazieren- ....

8 Dialoge:

Am Fahrkartenschalter

A: Eine Fahrkarte nach ....
B: Einfach oder hin und zurück?
A: ....
B: Das macht .... DM.
A: Wann fährt der Zug ab?
B: Um ..... Uhr, Bahnsteig .....
A: Danke!

Wann fährt der Zug?

A: Wann fährt der Zug?
B: In .... Minuten.
A: Bitte eine Karte nach ....
B: Hier, ... DM.
A: Wann kann ich wieder zurückfahren?
B: Um ....
A: Schönen Dank!

70

Oktoberfest in München

Andere Volksfeste in Deutschland:

Karneval in Köln, Fastnacht in Mainz, Fasching in München, Winzerfeste, Erntefeste, Schützenfeste, Trachtenfeste.

71

13   Im Restaurant

Herr Weber will mit seinem Kollegen im Restaurant essen.
Er sucht einen Platz und fragt den Ober.

Herr Weber: Herr Ober, haben Sie zwei Plätze frei?
Wenn möglich in einer Ecke oder am Fenster.

Ober: Einen Moment bitte – dort in der Ecke ist noch Platz.

Herr Weber: An dem Tisch sitzt schon jemand.
Vielleicht haben Sie einen Tisch am Fenster?

Ober: Am Fenster ist auch kein Tisch mehr frei, aber
am Eingang ist noch Platz.

Herr Weber: An die Tür möchte ich mich nicht setzen.
Wie ist es denn auf der Terrasse?

Ober: Auf die Terrasse können Sie leider nicht,
die ist heute geschlossen,
aber da in der Ecke wird gerade ein Tisch frei.

Herr Weber: Gut, dann nehmen wir den Tisch in der Ecke.

Herr Weber wartet auf einen Kollegen.
Sie gehen in ein Gasthaus
und suchen einen Tisch.
Der Ober fragt:

Wohin wollen Sie sich setzen?
Ans Fenster,
oder in die Ecke,
oder auf die Terrasse?

Wo ist ein Tisch frei?
Am Fenster,
oder in der Ecke,
oder auf der Terrasse?

Wollen Sie sich an den Tisch
dort in der Ecke setzen?
An dem Tisch sind 2 Plätze frei.
Gut, wir gehen in die Ecke.

1 Bitte ergänzen Sie:

Wohin geht er?
Er geht in die Stadt.
.... Büro.
.... Schule.
.... Kino.
.... Unterricht.

Wo ist er?
Er ist in der Stadt.
.... Büro.
.... Schule.
.... Kino.
.... Unterricht.

2 Wo steht der Tisch?   Wo liegt das Buch?   Wo hängt das Bild?

Er steht .... Ecke.   Es liegt .... Tisch.   Es hängt .... Wand.

3 Bitte ergänzen Sie:

Wohin setzen sie sich?
Sie setzen sich in die Ecke.
.... an ... Tisch.
.... an ... Fenster.
.... auf ... Terrasse.
.... in ... Zimmer.

Wo sitzen sie?
Sie sitzen in der Ecke.
.... Tisch.
.... Fenster.
.... Terrasse.
.... Zimmer.

4 Bitte wiederholen Sie:

Sie sind in die Stadt gegangen.
Sie sind ins Kino gegangen.
Sie sind an die Tür gegangen.
Sie sind ans Fenster gegangen.
Sie sind auf die Terrasse gegangen.
Sie sind ins Restaurant gegangen.

Wo sind sie?

Sie sind .... Stadt.
.... Kino.
.... Tür.
.... Fenster.
.... Terrasse.
.... Restaurant.

74

Hin und her

A: Warum gehen Sie immer hin und her?

B: Ich weiß nicht, soll ich die Blumen
hierher oder dorthin stellen.

A: Stellen Sie sie doch hinaus
in den Garten!

B: Ja, aber dann muß ich sie wieder
hereinholen, wenn es zu kalt wird.

A: Stellen Sie sie doch auf den Schrank!

B: Da komme ich leider nicht hinauf.

A: Warten Sie, ich helfe Ihnen.

5 Bitte antworten Sie:

Wohin kommt der Koffer?	Der Koffer kommt hierher.
Wohin kommt die Tasche?	Die Tasche ....
Wohin kommt der Spiegel?	....
Wohin kommen die Blumen?	....
Wohin kommt der Schrank?	....
Wohin kommt der Tisch?	....

6 Wiederholen Sie die Übung. Beginnen Sie „Der Koffer kommt dorthin".

7 Bitte antworten Sie mit „ja":

Gehen Sie hinaus?	Ja, ich gehe hinaus.
Kommen Sie herein?	Ja, ...
Holen Sie das Gepäck herein?	....
Stellen Sie die Blumen hinaus?	....
Kommen Sie herauf?	....

8 Bitte wiederholen Sie:

regnen, rechts, richtig – Terrasse, warten, Schrank, Straße, frei	r
links, leider, Löffel – stellen, bleiben, schlecht, halt, viel	l
ich will bleiben – er bleibt auf der Straße – sie schreibt schnell	r – l

9 Bitte ergänzen Sie:

a) in – an – auf

1. Herr Weber will mit seinem Kollegen . . . . . Restaurant essen. Er sucht einen Platz und fragt den Ober. 2. Haben Sie noch zwei Plätze frei? Wenn möglich . . . . . einer Ecke oder . . . . . Fenster. 3. Setzen Sie sich vielleicht dort . . . . Ecke? 4. Nein, ... Tisch sitzt schon jemand. 5. Vielleicht haben Sie einen Platz . . . . . Fenster. 6. . . . . . Fenster ist auch kein Platz mehr frei, aber . . . . . Eingang ist noch Platz. 7. . . . . Tür möchte ich mich nicht setzen. 8. Wie ist es denn . . . . Terrasse? 9. . . . . Terrasse können Sie leider nicht, die ist heute geschlossen. 10. Aber . . . . Ecke wird gerade ein Tisch frei. 11. Gut, wir nehmen den Tisch . . . . Ecke.

b) hin und her

1. Warum gehen Sie immer . . . . . und . . . . . ? 2. Ich weiß nicht, soll ich die Blumen hierher oder . . . . stellen. 3. Stellen Sie sie doch . . . . in den Garten! 4. Ja, aber dann muß ich sie immer wieder . . . . holen. 5. Stellen Sie sie doch auf den Schrank! 6. Nein, da komme ich nicht . . . .

c) wo? – wohin? – was?

1. Herr Weber will im Restaurant essen. . . . . . ? 2. Er sucht einen Platz. . . . . . ? 3. Haben Sie noch zwei Plätze frei? . . . . . ? 4. Wenn möglich in einer Ecke oder am Fenster. . . . . . ? 5. Setzen Sie sich vielleicht dort in die Ecke? . . . . . ? 6. Nein, an dem Tisch sitzen schon zwei Personen. . . . . . ? 7. Dort sind wir nicht allein. . . . . . ? 8. Am Eingang ist noch Platz. . . . . . ? 9. An die Tür möchte ich mich nicht setzen. . . . . . ? 10. Aber in der Ecke wird gerade ein Platz frei. . . . . . ?

10 Dialoge:

Reserviert!	**Die Speisekarte bitte!**
A: Ich möchte einen Tisch bestellen.	A: Was möchten Sie trinken?
B: Für wann?	B: . . . .
A: Für	A: Wollen Sie auch essen?
B: Und für wieviel Personen?	B: Ja, bitte . . . .
A:	A: Was wünschen Sie?
B: Wo wollen Sie sitzen?	B: Haben Sie . . . . ?
A:	A: Das dauert aber 20 Minuten.
B: Gut, ab . . . . . für . . . . . Personen.	B: Das macht nichts.

76

Moderne Volksschule

Schulen in Deutschland:

Herr Müller ist Facharbeiter. Er war 9 Jahre in der Volksschule und 3 Jahre in der Berufsschule.

Fräulein Meier ist Postinspektorin. Sie besuchte 4 Jahre die Volksschule und 6 Jahre die Realschule.

Herr Weber ist Ingenieur. Er besuchte 4 Jahre die Volksschule und 6 Jahre die Realschule. Nach einem Praktikum studierte er 6 Semester an einer Ingenieurschule.

Frau Sander ist Ärztin. Sie war 4 Jahre in der Volksschule und 9 Jahre auf einem Gymnasium. Nach dem Abitur studierte sie 11 Semester Medizin an einer Universität.

14 Im Kaufhaus

Verkäuferin: Was darf es sein?

Fräulein Klein: Ich möchte gern ein Kleid oder Rock und Bluse.

Verkäuferin: Haben Sie einen bestimmten Wunsch?

Fräulein Klein: Noch nicht. Ich suche etwas Modernes.

Verkäuferin: Ich zeige Ihnen unsere neuen Röcke; wir haben sie
erst in den letzten Tagen bekommen. –
Wie gefällt Ihnen der graue Rock?

Fräulein Klein: Ich finde ihn sehr schön, aber er ist mir zu teuer.

Verkäuferin: Oder der weiße hier? Sie können ihn gut zu einer
dunklen Bluse tragen, das ist sehr schick.

Fräulein Klein: Können Sie mir ein paar Blusen zeigen?

Verkäuferin: Gern! – Hier ist eine blaue und eine gestreifte Bluse
– die blaue ist besonders hübsch und sehr preiswert.

Fräulein Klein: Kann ich die mal anziehen, mit dem weißen Rock?

Verkäuferin: Natürlich! – Das steht Ihnen sehr gut und paßt genau.

Fräulein Klein: Gut, ich nehme den Rock und die Bluse.

Die Röcke sind neu.
Die Blusen sind sehr hübsch.
Die Sachen sind modern.
Sie sind sehr preiswert.

Diese Bluse ist blau;
das ist eine blaue Bluse.
Die Blusen sind modern;
das sind moderne Blusen.

Sie möchte einen Rock und eine Bluse.
Die Verkäuferin zeigt ihr
eine blaue und eine gestreifte Bluse,
einen grauen und einen weißen Rock.

Der weiße Rock und die blaue Bluse
stehen ihr sehr gut.
Sie kauft die blaue Bluse
und den weißen Rock.

Was für eine Bluse möchten Sie,
eine blaue oder eine gestreifte?
Welche ist billiger?
Die blaue!

1 Bitte ergänzen Sie:

Das ist der graue Rock.   Das ist das neue Kleid.   Das ist die blaue Bluse.

.... neu- .... rot- .... hübsch- ......

.... weiß- .... lang- .... billig- ....

.... modern- .... schön- .... rot- ....

.... alt- .... blau- .... gestreift- .....

Ich möchte eine neue Bluse.   Ich möchte einen weißen Rock.

.... rot- .... schön- ....

.... hübsch- .... kurz- ....

.... modern- .... neu- ....

.... schick- .... preiswert- ....

2 Bitte ergänzen Sie:

Ich möchte moderne Sachen.   Sie möchte eine rote Bluse.

.... Blusen.   .... neu- ....

.... hübsch- .... Rock.

.... Röcke.   .... modern- ....

.... preiswert- .... Bluse.

.... Kleider.   .... preiswert- ....

3 Wiederholen Sie die Übung. Beginnen Sie:

„Hier sind die modernen Sachen."   „Sie kauft die rote Bluse."

4 Bitte antworten Sie kurz:

Frl. Klein hat eine Bluse gekauft. Die Bluse ist rot.
Was für eine Bluse hat sie gekauft?   ....

Sie hat auch einen Rock gekauft. Der Rock ist weiß.
Welchen Rock hat sie gekauft?   ....

Sie hat eine Wohnung. Die Wohnung ist klein.
Was für eine Wohnung hat sie?   ....

Er hat einen Wagen bestellt. Der Wagen ist groß.
Welchen Wagen hat er bestellt?   ....

Frau Hartmann hat viele Kleider. Die sind modern.
Was für Kleider hat sie?   ....

Haus und Garten

A: Wem gehört denn das Haus hier?

B: Das Haus gehört mir.

A: Das ist ein schönes Haus
und ein schöner Garten
und eine ruhige Straße.

B: Ja, der Garten ist groß,
aber ein großer Garten
macht auch viel Arbeit.

A: Was kostet denn das Haus?

B: Ich weiß es nicht,
ich will es auch gar nicht
verkaufen.

5 Bitte ergänzen Sie:

Das Haus ist schön.	Das ist ein schönes Haus.
Das Haus ist groß.	Das ist . . . .
Das Haus ist alt.	. . . .
Das Haus ist modern.	. . . .
Der Garten ist schön.	Das ist ein schöner Garten.
Der Garten ist groß.	. . . .
Der Garten ist alt.	. . . .
Der Garten ist ruhig.	. . . .
Die Straße ist ruhig.	Das ist eine ruhige Straße.
Die Straße ist schön.	. . . .
Die Straße ist lang.	. . . .
Die Straße ist neu.	. . . .

6 Bitte antworten Sie mit „ja":

Ist das Haus modern?	Ja, das ist ein . . . .
Ist der Garten schön?	Ja, ...
Ist das Büro klein?	Ja, ...
Ist der Wagen neu?	Ja, ...
Ist die Familie nett?	Ja, ...

Bitte ergänzen Sie:

1. Haben Sie einen .... Wunsch? 2. Ich suche etwas   *bestimmt*
.... 3. Ich zeige Ihnen unsere .... Röcke. 4. Wir   *modern, neu*
haben sie in den .... Tagen bekommen. 5. Wie gefällt   *letzt-*
Ihnen dieser .... Rock? 6. Ich finde ihn sehr ....,   *grau, schön*
aber er ist mir zu .... 7. Oder der .... hier?   *teuer, weiß*
8. Sie können ihn gut zu einer .... Bluse tragen. 9. Das   *dunkel*
ist sehr .... 10. Können Sie mir ein paar Blusen zeigen?   *schick*
11. Hier ist eine .... und eine .... Bluse.   *blau, gestreift*
12. Die .... ist besonders .... und sehr preis-   *blau, hübsch*
wert. 13. Kann ich die .... mal anziehen, mit dem   *blau*
.... Rock? 14. Das steht Ihnen sehr gut und paßt .....   *weiß, genau*
15. Gut, ich nehme den Rock und die Bluse.

16. Das ist ein .... Haus und ein .... Garten   *schön*
und eine .... Straße. 17. Ja, der Garten ist ....,   *ruhig, groß*
aber ein .... Garten macht auch viel Arbeit.   *groß*

b) ein – eine – einen; der – die – das – den – dem

1. Ich möchte ..... Kleid oder ..... Rock und ..... Bluse. 2. Haben Sie ..... bestimmten Wunsch? 3. Noch nicht. 4. Ich zeige Ihnen ..... neuen Röcke. 5. Wir haben
sie erst in ..... letzten Tagen bekommen. 6. Wie gefällt Ihnen ..... graue Rock?
Oder ..... weiße hier? 7. Sie können ihn gut zu einer dunklen Bluse tragen. ..... ist
sehr schick. 8. Hier ist ..... blaue und ..... gestreifte Bluse. 9. ..... blaue ist besonders hübsch und sehr preiswert. 10. Kann ich ..... blaue mal anziehen, mit .....
weißen Rock? 11. ..... steht Ihnen sehr gut und paßt genau. 12. Gut, ich nehme .....
Rock und ..... Bluse.

8 Dialoge:

Reparaturannahme	**Kann ich das anprobieren?**
A: Was wünschen Sie?	A: Ich möchte ....
B: Ich habe eine Reparatur.	B: In welcher Preislage?
A: Reparaturen im 1. Stock.	A: Für .... Mark ungefähr.
B: Kann ich mit dem Lift fahren?	B: Hier haben wir etwas in Schwarz.
A: Dort .... bitte!	A: Kann ich das anprobieren?
B: Danke!	B: Selbstverständlich! Kommen Sie!

Der Hamburger Hafen

Hamburg

Hamburg – „das Tor zur Welt" – ist die größte Hafenstadt Deutschlands. Jedes Jahr laufen viele tausend Passagier- und Handelsschiffe in den Hafen an der Elbe ein. Im Jahr 1964 waren es 41 762. Die Schiffslinien führen über die Nordsee zu den großen Weltmeeren, dem Atlantik, dem Pazifik, dem Indischen Ozean, und verbinden Hamburg mit allen Erdteilen.

Vers 1, 3 u. 5

1. Ich weiß nicht, was soll es be-deu-ten, Daß ich so trau-rig

bin; Ein Märchen aus al-ten Zeiten, Das kommt mir nicht aus dem

Vers 2, 4 u. 6

Sinn. 2. Die Luft ist kühl und es dunkelt, Und ru-hig fließt der

Rhein; Der Gipfel des Ber-ges fun-kelt Im Abend-sonnen-schein.

3. Die schönste Jungfrau sitzet
   Dort oben wunderbar,
   Ihr goldnes Geschmeide blitzet,
   Sie kämmt ihr goldenes Haar.

4. Sie kämmt es mit goldenem Kamme
   Und singt ein Lied dabei;
   Das hat eine wundersame
   Gewaltige Melodei.

5. Den Schiffer im kleinen Schiffe
   Ergreift es mit wildem Weh;
   Er schaut nicht die Felsenriffe,
   Er schaut nur hinauf in die Höh!

6. Ich glaube, die Wellen verschlingen
   Am Ende Schiffer und Kahn;
   Und das hat mit ihrem Singen
   Die Lorelei getan.

Heinrich Heine

den Maßnahmen zur Bekämpfung der Ölpest ergriffen. In Cherbourg haben die Behörden 6000 Kubikmeter Sägemehl gelagert, das von Fischerbooten über das Öl verteilt werden soll. Boote und Hubschrauber entdeckten mehrere Ölfelder im Umfang von jeweils einigen tausend Quadratmetern, die vor der bretonischen Küste trieben. Einige der Felder waren offensichtlich schon mit chemischen Mitteln bekämpft worden. Fachleute äußerten jedoch die Ansicht, daß das treibende Öl auch nach der Teilbekämpfung noch eine erhebliche Gefahr für die französische Küste darstelle.

Sparsamkeit geht über Treue

Konstanz (dpa)

Die deutsche Frau muß sparsam, treu, sauber, herzlich, natürlich, fleißig, ehrlich, hübsch, klug, ordnungsliebend, humorvoll, pünktlich, verschwiegen und selbstlos sein.

Das Allensbacher Institut für Demoskopie stellte fest: 65 Prozent aller deutschen Männer sehen die Sparsamkeit als die wichtigste Eigenschaft der Frau an. Erst dann folgen mit 62 Prozent die Treue und mit 60 Prozent die Sauberkeit. 38 Prozent der befragten Männer wollen hübsche Frauen, 39 Prozent ordnungsliebende, 29 Prozent kluge, 25 Prozent humorvolle, 15 Prozent pünktliche, 14 Prozent verschwiegene und 9 Prozent selbstlose Frauen. 66 Prozent von den sechzehn- bis 29jährigen bevorzugen treue Frauen, 56 Prozent natürliche, 55 Prozent saubere und 54 Prozent sparsame Partnerinnen.

Bei den Angestellten, Beamten und Selbständigen steht mit 63 Prozent die Treue als wichtigste Eigenschaft der Frau an erster Stelle. Bei den 60jährigen und älteren erreicht die Sparsamkeit mit 77 Prozent einen absoluten Spitzenwert.

Sprichwörter

Lügen haben kurze Beine.

Probieren geht über Studieren.

Es ist noch kein Meister vom Himmel gefallen.

Man soll den Tag nicht vor dem Abend loben.

16   Falsch geparkt

Herr Weber hatte es eilig. Es gab aber weit und breit keinen Parkplatz. Er ließ den Wagen vor einem Zigarettenladen stehen. Nach wenigen Minuten kam er zurück und fand am Wagen einen Strafzettel. Er nahm ihn, ging zum nächsten Polizisten und gab ihm den Zettel.

Polizist: Sie haben leider falsch geparkt, Sie müssen fünf Mark zahlen.

Weber: Mein Wagen stand aber nur ein paar Minuten da.

Polizist: Es tut mir leid, aber entweder zahlen Sie, oder die Sache geht ans Gericht.

Weber: Ich möchte es Ihnen doch nur erklären: Ich wollte mir schnell Zigaretten holen und habe keinen Parkplatz gefunden. Da dachte ich, das macht doch nichts, ich bin ja gleich wieder zurück.

Polizist: Sie hatten eben Pech, aber Vorschrift ist Vorschrift.

Weber: Ja, ich weiß. Dann zahle ich eben die fünf Mark.

Polizist: Bitte sehr, hier ist Ihre Quittung.

Herr Weber war mit dem Auto
in der Stadt
und hatte es eilig.
Aber er hatte Pech.

Er wollte Zigaretten kaufen
und stellte seinen Wagen
am Straßenrand ab.
Aber er parkte falsch.

Er kam zurück und fand
einen Strafzettel an seinem Wagen.
Er nahm ihn, ging zum Polizisten
und gab ihm den Zettel.

Herr Weber kannte die Verkehrszeichen,
aber er dachte, das macht doch nichts.
Der Polizist konnte ihm nicht helfen.
Herr Weber mußte die 5 Mark zahlen.

1 Bitte ergänzen Sie:

Ist er krank?	Nein, er war krank.
Ist er in Berlin?	Nein, ...
Ist er hier?	Nein, ...
Ist er im Büro?	Nein, ...
Ist er bei Herrn Hartmann?	Nein, ...
Kam er mit dem Brief?	Ja, er hatte den Brief.
Kam er mit dem Paß?	Ja, ...
Kam er mit der Tasche?	Ja, ...
Kam er mit dem Geld?	Ja, ...
Kam er mit der Zeitung?	Ja, ...
Kommt sie?	Ja, sie wollte kommen.
Bleibt sie?	Ja, ...
Fährt sie weg?	Ja, ...
Ruft sie an?	Ja, ...
Geht sie mit?	Ja, ...

2 Wiederholen Sie die Übung mit „Ja, sie sollte kommen".

3 Bitte antworten Sie „Nein, er konnte nicht kommen":

Ist er gekommen?	Nein, er konnte nicht kommen.
Ist er geblieben?	Nein, ...
Ist er weggefahren?	Nein, ...
Hat er angerufen?	Nein, ...
Ist er mitgegangen?	Nein, ...

4 Wiederholen Sie die Übung mit „Ja, er mußte kommen".

5 Bitte antworten Sie mit „Ja":

Ist er schon gekommen?	Ja, er kam gerade.
Sind Herr und Frau Schmitt gegangen?	Ja, ...
Sind sie schon weggefahren?	Ja, ...
Hat Paul schon angerufen?	Ja, ...
Hat er ihm das Geld gegeben?	Ja, ...
Hast du auch daran gedacht?	Ja, ...

Wenn und Aber

A: Was für ein Auto würden Sie
   sich denn kaufen?
B: Ich hätte gern einen Mercedes.
A: Ich wäre auch schon mit
   einem Volkswagen zufrieden.
   Dann könnte ich zur Arbeit fahren
   und hätte auch am Sonntag einen
   Wagen.
B: Ja, Geld müßte man
   haben, oder die richtigen
   Lottozahlen.

6 Bitte ergänzen Sie:

Er hat es eilig.   Ich hätte es nicht eilig.
Er ist sicher.   . . . .
Er parkt hier.   . . . .
Er hat das bezahlt.   . . . .
Er ist damit zufrieden.   . . . .

Er fährt weg.   Ich würde nicht wegfahren.
Er ruft ihn an.   . . . .
Er hat den Wagen gekauft.   . . . .
Er kann das tun.   . . . .
Er ist zu Haus geblieben.   . . . .
Er kann den Brief lesen.   . . . .
Er kauft sich einen Bus.   . . . .

7 Bitte fragen Sie:

Entschuldigen Sie mich?   Würden Sie mich bitte entschuldigen?
Sind Sie so freundlich?   Wären . . . .
Kann ich die Zeitung haben?   . . . .
Haben Sie eine Minute Zeit?   . . . .
Geben Sie mir die Tasche?   . . . .
Können Sie mir etwas mitbringen?   . . . .

8 Bitte ergänzen Sie:

a) hatte, gab, kam, ließ usw.

1. Herr Weber .... es eilig. 2. Es .... weit und breit keinen Parkplatz.
3. Er .... seinen Wagen vor einem Zigarettenladen stehen. 4. Nach wenigen
Minuten .... er zurück und .... an seinem Wagen einen Strafzettel.
5. Er .... ihn, ... zum nächsten Polizisten und ...... ihm den Zettel.
6. Sie .... leider falsch geparkt, Sie .... fünf Mark zahlen. 7. Mein
Wagen .... aber nur ein paar Minuten da. 8. Es .... mir leid, aber entweder .... Sie, oder die Sache .... ans Gericht. 9. Ich .... es
Ihnen doch nur erklären. 10. Ich .... mir schnell Zigaretten holen und ....
keinen Parkplatz gefunden. 11. Da .... ich, ich .... ja gleich wieder
zurück. 12. Sie .... eben Pech.

b) würde – wäre – hätte – könnte – müßte

1. Was für ein Auto .... Sie sich denn kaufen? 2. Ich .... gern einen
Mercedes. 3. Ich .... auch schon mit einem Volkswagen zufrieden. 4. Damit
.... ich zur Arbeit fahren und .... auch am Sonntag einen Wagen.
5. Ja, Geld .... man haben.

c) Verben

1. Es tut mir leid, Sie haben falsch .... und müssen fünf Mark ....
2. Ich möchte es Ihnen doch nur ....: Ich wollte mir schnell Zigaretten ....
und habe keinen Parkplatz .... Es tut mir leid, aber entweder .... Sie,
oder die Sache .... ans Gericht.

9 Dialoge:

Leider besetzt!

A: Der Parkplatz ist leider besetzt.
B: Und wo ist bitte der nächste?
A: ....
B: Von dort komme ich gerade. Da war
   auch kein Platz.
A: Dann fahren Sie ....
B: Danke! Ich will's versuchen.

Wie komme ich dahin?

A: Können Sie mir sagen, wie
   ich .... komme?
B: .... liegt ....
A: Und wie komme ich dahin?
B: Fahren Sie ....
A: Könnte ich nicht auch hier fahren?
B: Nein, das ist eine Einbahnstraße.

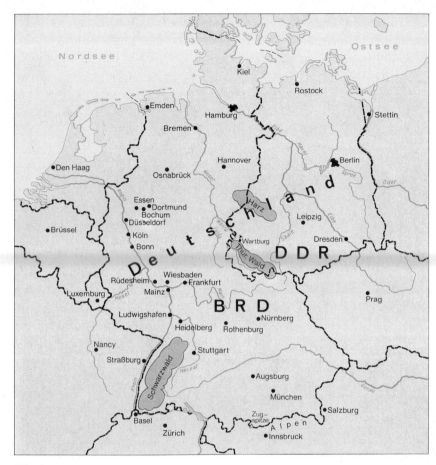

Mitteleuropa

Deutschland in Mitteleuropa

Gebirge:	die Alpen, der Harz, der Thüringer Wald, der Schwarzwald
Der höchste Berg:	die Zugspitze in den Alpen mit 2963 Metern
Die großen Flüsse:	die Oder, die Elbe, die Weser, die Donau, der Rhein
Nebenflüsse:	die Spree, die Saale, die Mosel, der Main, der Neckar
Historische Stätten:	Heidelberg am Neckar, Dresden an der Elbe, Rothenburg ob der Tauber, Rüdesheim am Rhein, die Wartburg in Thüringen

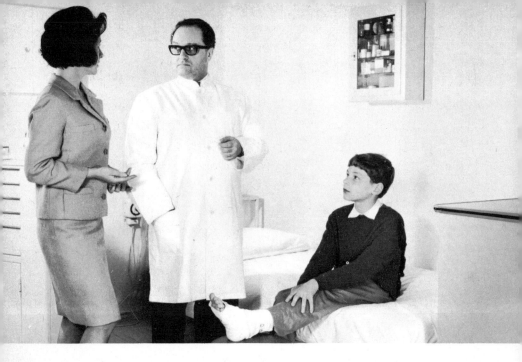

17   Beim Arzt

Stefan hat sich den Fuß verletzt und kann nicht gehen. Frau Hartmann hat ihn zum Arzt gebracht. Dr. Wagner untersucht ihn. Er kann aber nicht feststellen, ob der Fuß gebrochen ist oder nicht. Darum muß er den Fuß durchleuchten.

Dr. Wagner:	Ein Glück, daß der Knöchel nicht gebrochen ist.
Stefan:	Muß ich liegen, Herr Doktor?
Dr. Wagner:	Eine Woche mindestens.
Stefan:	Gut, daß keine Ferien sind!
Dr. Wagner:	Wir werden sehen, daß du bald wieder gesund wirst.
Frau Hartmann:	Sagen Sie mir bitte, was ich tun muß.
Dr. Wagner:	Sorgen Sie nur dafür, daß er das Bein ruhig hält, und rufen Sie mich morgen an, wie es ihm geht.
Frau Hartmann:	Ist recht, Herr Doktor, und vielen Dank!
Dr. Wagner:	Auf Wiedersehen, Frau Hartmann! Und gute Besserung, mein Junge!

Stefan hat sich den Fuß verletzt.
Dr. Wagner untersucht ihn,
kann aber nicht feststellen,
ob der Fuß gebrochen ist oder nicht.

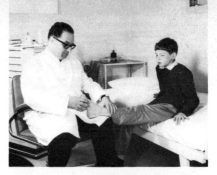

Der Doktor hat den Fuß geröntgt
und sagt:
Es ist ein Glück,
daß der Knöchel nicht gebrochen ist.

Stefan meint, es ist gut,
daß keine Ferien sind.
Der Arzt will sehen,
daß Stefan bald wieder gesund wird.

Frau Hartmann fragt Dr. Wagner,
was sie tun muß.
Sie will ihn anrufen und sagen,
wie es Stefan geht.

1 Bitte ergänzen Sie:

Ich komme.	Er sagt, daß er kommt.
Ich bleibe.	Er sagt, ...
Ich gehe mit.	Er sagt, ...
Ich rufe dann an.	Er sagt, ...
Ich muß noch arbeiten.	Er sagt, ...
Kommt ihr?	Er fragt, ob wir kommen.
Bleibt ihr hier?	Er fragt, ...
Geht ihr ins Kino?	Er fragt, ...
Ruft ihr noch an?	Er fragt, ...
Könnt ihr kommen?	Er fragt, ...

2 Verbinden Sie die Sätze mit „daß" oder „ob":

Ich frage: Ist er da?	Er fragt, ob er da ist.
Ich glaube, sie ist krank.	Er glaubt, ...
Ich meine, wir haben noch Zeit.	Er meint, ...
Ich frage: Seid ihr morgen zu Haus?	Er fragt, ...
Ich denke, wir können das machen.	Er denkt, ...

3 Wiederholen Sie die Übung. Beginnen Sie „Er hat gefragt, ob er da ist".

4 Bitte antworten Sie „Ich weiß nicht, ...":

Wann kommt er?	Ich weiß nicht, wann er kommt.
Wohin geht er?	Ich weiß nicht, ...
Was macht sie?	Ich weiß nicht, ...
Warum schreibt sie nicht?	Ich weiß nicht, ...
Wie lange bleibt er?	Ich weiß nicht, ...
Was hat er gesagt?	Ich weiß nicht, ...
Wo bleiben sie denn?	Ich weiß nicht, ...

5 Wiederholen Sie die Übung. Beginnen Sie „Wann er kommt, weiß ich nicht".

94

Das Alter

A: Na, wie geht es Ihnen denn?

B: Danke, schon besser.

Meine Kopfschmerzen sind vorbei,

aber meine Beine werden immer schwerer.

A: Ja, wir werden älter.

B: Da haben Sie recht.

Wenn man alt ist,

hat man zwar viel Zeit,

aber auch mehr Sorgen.

A: Jung sollte man halt

bleiben,

das wär' das

beste.

6 Bitte ergänzen Sie:

Das ist gut.	Das ist besser.
Das ist schön.	....
Das ist schwer.	....
Das ist leicht.	....
Das ist alt.	....

Ist das Buch gut?	Das hier ist noch besser.
Ist der Wagen schön?	Der ....
Ist das Haus alt?	Das ....
Ist der Koffer schwer?	Der ....
Ist das Kleid modern?	Das ....

Was ist das beste?	Das da ist das beste.
Wer ist der älteste?	....
Was ist das teuerste?	....
Welcher Koffer ist der schwerste?	....
Welches Kleid ist das schönste?	....

7 Bitte ergänzen Sie:

a) daß, ob, was, wie

1. Dr. Wagner kann nicht feststellen, ... der Fuß gebrochen ist oder nicht. 2. Darum muß er den Fuß durchleuchten. 3. Ein Glück , ... der Knöchel nicht gebrochen ist. 4. Gut, ... keine Ferien sind! 5. Wir werden sehen, ... du bald wieder gesund wirst. 6. Sagen Sie mir bitte, ... ich tun muß. 7. Sorgen Sie dafür, ... er das Bein ruhig hält, und rufen Sie mich morgen an, ... es ihm geht.

b) gut, besser, das beste usw.

1. Na, wie geht es Ihnen denn? 2. Danke, schon . . . . 3. Meine Kopfschmerzen sind vorbei, aber meine Beine werden immer . . . . 4. Ja, wir werden . . . . 5. Da haben Sie recht. Wenn man . . . . ist, hat man zwar . . . . Zeit, aber auch . . . . Sorgen. 6. Man sollte halt . . . . bleiben, das wäre . . . .

c) Verben

1. Stefan hat sich den Fuß . . . . und kann nicht . . . . 2. Frau Hartmann hat ihn zum Arzt . . . . 3. Dr. Wagner . . . . ihn, kann aber nicht . . . ., ob der Fuß . . . . ist oder nicht. 4. Darum muß er ihn . . . . 5. Muß ich . . . ., Herr Doktor? 6. Wir werden . . . ., daß du bald wieder gesund . . . . 7. Sagen Sie mir bitte, was ich . . . . muß. 8. Sorgen Sie nur dafür, daß er das Bein ruhig . . . . und . . . . Sie mich morgen an, wie es ihm . . . .

8 Dialoge:

In der Sprechstunde

A: Guten Tag, Herr Doktor!

B: Guten Tag! Was fehlt Ihnen?

A: Ich habe . . . .

B: Seit wann haben Sie die Schmerzen?

A: Seit . . . .

B: Haben Sie schon Tabletten genommen?

A: Nein, ...

B: Gut, ich schreibe Ihnen ein Rezept.

Wie ist das passiert?

A: Wann hatten Sie den Unfall?

B: . . . .

A: Wie ist denn das passiert?

B: . . . .

A: Waren Sie bewußtlos?

B: . . . .

A: Sie müssen auf jeden Fall liegen.

B: Hoffentlich nicht lange.

Ernst Benda / Helmut Ridder: Wie nötig sind Notstandsgesetze? (Seite 3)

DAS
DEUTSCHE
WELT-
BLATT

DIE ZEIT

GEDRUCKT IN
HAMBURG
BUENOS AIRES
TORONTO

WOCHENZEITUNG FÜR POLITIK · WIRTSCHAFT · HANDEL UND KULTUR

Nr. 25 / 22. Jahrgang   C 7451 C   Hamburg, den 23. Juni 1967   Preis 80 Pfennig

Ist das Schwurgericht noch zeitgerecht? (Forum)

Verlag DIE WELT, 45 Essen, Sachsenstraße 36, 34-55, 88 099 0/41. 2 Hamburg 36, Kaiser-Wilhelm-Straße 1, Tel. 36 (106 10 11), 33 051 11 46; 1 Berlin 61, Kochstraße 50, Telefon 18 11/65 48 1, PS 016 07 09; 6 Frankfurt (Main), Frankenallee 71—81, Telefon 30 11/25 38 40, PS 341 38 40, Göttinger Anzeigenpreisliste: Nr. 30 vom 1. Januar 1967.

DIE WELT

UNABHÄNGIGE TAGESZEITUNG FÜR DEUTSCHLAND   1 H 7109 A   Nr. 136 · Preis 40 Pf

Mittwoch, 14. Juni 1967   Ausgabe D ✱✱✱

Diesel und Heizöl

Rheinischer Merkur

Wochenzeitung für Politik, Kultur und Wirtschaft

Nr. 22 / 22. Jahrgang   Köln, 2. Juni 1967   Einzelpreis 80 Pf   N 5889 C

Der Planungsstab des Kanzlers (Seite 4)

Preis: Pf. 40; S. 3.—; Lit. 80.—; sfr. —.50; Pts. 10.—

Süddeutsche Zeitung

MÜNCHNER NEUESTE NACHRICHTEN AUS POLITIK · KULTUR · WIRTSCHAFT · SPORT

23. Jahrgang   München, Mittwoch, 14. Juni 1967   B 6558 A   Nummer 141

Das Streiflicht   SIE LESEN HEUTE

Frankfurter Allgemeine

ZEITUNG FÜR DEUTSCHLAND

D-Ausgabe / Freitag, 23. Juni 1967   Herausgegeben von Nikolas Benckiser, Bruno Dechamps, Jürgen Eick, Karl Korn, Jürgen Tern, Erich Welter   40 Pfennig / Nr. 142   D 2954 A

Strauß dringt auf höhere Steuern und Abbau der Vergünstigungen

Bedrückendes Bild der Bundesfinanzen / Beratung im Finanzkabinett über den Abbau drohender Defizite von acht bis zehn Milliarden

Höhere Steuern?

D. V. BONN, 23. Juni. — Der Regierungsausschuß für die militärischen Finanzplanung hat am Donnerstag bis in die späten Abendstunden über die Haushaltspolitik des Bundes für die Jahre bis 1971 beraten. Dem Ausschuß gehören neben den Bundeskanzlern die Minister Strauß, Schiller, Schröder und Gerber an, die sich nebenan an die Sitzung im Bundeskanzleramt teil. Die Ergebnisse der Arbeiten im Finanzkabinett sollen am 3. Juli dem gesamten Bundeskabinett vorgelegt und von diesem Gremium beraten und verabschiedet werden.

97

18 Eine neue Stelle

Herr Kraus möchte bei der Firma Hartmann arbeiten. Er meldet sich im Büro
an und wird von Herrn Hartmann empfangen.

Kraus: Guten Tag, Herr Hartmann!

Hartmann: Guten Morgen, Herr Kraus, nehmen Sie bitte Platz!
Ich habe gehört, daß Sie bei uns arbeiten wollen.
Das freut mich. Darf ich fragen, warum?

Kraus: Ich sage es ganz offen, ich suche eine bessere Stelle.
Ihre Firma wird allgemein gelobt, und Ihre Leute
werden gut bezahlt. Bei Ihnen ist doch ein Fahrer
krank geworden, da habe ich mir gedacht ...

Hartmann: Das ist richtig. Aber wissen Sie, daß bei uns auch
samstags gearbeitet wird?

Kraus: Das macht mir nichts aus, und arbeiten muß man überall.

Hartmann: Gut, Sie können am Montag anfangen. Geben Sie Ihre
Papiere im Lohnbüro ab. Bis Montag also!

Kraus: Vielen Dank, Herr Hartmann! Auf Wiedersehen!

Herr Kraus möchte
bei der Firma Hartmann arbeiten.
Er meldet sich im Büro an
und wird von Herrn Hartmann
empfangen.

Herr Kraus sagt
zu Herrn Hartmann:
Ihre Firma wird allgemein gelobt,
und Ihre Leute werden gut bezahlt.

Herr Kraus fragt:
Arbeiten Sie auch am Samstag?
Herr Hartmann antwortet:
Bei uns wird samstags gearbeitet.

In Deutschland arbeitet man
in den Fabriken Montag bis Freitag.
Die Läden werden um 8 Uhr geöffnet
und um 18 Uhr geschlossen.

1 Bitte ergänzen Sie:

Er wird gefragt.   Wir werden gefragt.
.... empfangen.   .... empfangen.
.... gelobt.   .... gelobt.
.... gut bezahlt.   .... gut bezahlt.
.... angerufen.   .... angerufen.

machen   Das wird gerade gemacht.
brauchen   ....
schreiben   ....
bringen   ....
reparieren   ....

2 Bitte antworten Sie:

Er wird von der Sekretärin gefragt.
Von wem wird er gefragt?   ....
Er wird von Herrn Hartmann empfangen.
Von wem wird er empfangen?   ....
Er wird von Herrn Kraus gelobt.
Von wem wird er gelobt?   ....
Er wird von Herrn H. gut bezahlt.
Von wem wird er gut bezahlt?   ....
Er wird von Herrn Weber angerufen.
Von wem wird er angerufen?   ....

Die Geschäfte öffnen um 8.
Wann werden sie geöffnet?   ....
Das Restaurant schließt um 12.
Wann wird es geschlossen?   ....
Das Kino öffnet um halb 8.
Wann wird es geöffnet?   ....
Die Post schließt um 18 Uhr.
Wann wird sie geschlossen?   ....
Samstags wird nicht gearbeitet.
Wann wird nicht gearbeitet?   ....

100

Nach dem Unfall

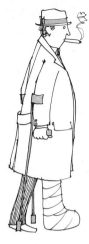

A: Was ist denn Herrn Müller passiert?

B: Wissen Sie nicht, daß er operiert wurde?

A: Warum ist er denn operiert worden?

B: Er wurde neulich von einem Auto
   angefahren und schwer verletzt.

A: Da kann er aber von Glück sagen,
   daß er noch lebt.

B: Sie haben ihn sofort
   ins Krankenhaus gebracht,
   aber er konnte schon wieder
   entlassen werden.

3 Bitte ergänzen Sie:

Er wurde verletzt.

. . . . angefahren.

. . . . ins Krankenhaus gebracht.

. . . . operiert.

. . . . entlassen.

Er wurde gefragt.

. . . . empfangen.

. . . . gelobt.

. . . . gut bezahlt.

. . . . angerufen.

4 Bitte antworten Sie:

Ist er angefahren worden? Ja, er wurde angefahren.

Ist er verletzt worden? Ja, ...

Ist er ins Krankenhaus gebracht worden? Ja, ...

Ist er operiert worden? Ja, ...

Ist er entlassen worden? Ja, ...

5 Bitte ergänzen Sie:

Er mußte operiert werden.

. . konnte . . . .

. . . . entlassen . . . . .

Sie . . . .

. . wollte . . . .

Das sollte gemacht werden.

. . . mußte . . . .

. . . . repariert . . . . . .

. . . konnte . . . .

. . . . bezahlt . . . .

6 Bitte ergänzen Sie:

a) ist, wird, muß, möchte, usw.

1. Herr Kraus sucht eine neue Stelle, er . . . . bei der Firma Hartmann arbeiten. 2. Er meldet sich im Büro an und . . . . von Herrn Hartmann empfangen. 3. Ich . . . . gehört, daß Sie bei uns arbeiten . . . . 4. Das freut mich. . . . . ich fragen, warum? 5. Ich sage es ganz offen, ich suche eine bessere Stelle. Ihre Firma . . . . allgemein gelobt, und Ihre Leute . . . . gut bezahlt. 6. Bei Ihnen . . . . doch ein Fahrer krank geworden. 7. Wissen Sie, daß bei uns auch samstags gearbeitet . . . . ? 8. Das macht mir nichts aus, und arbeiten . . . . man überall. 9. Gut, Sie . . . . am Montag anfangen.

10. Was . . . . denn mit Herrn Müller? 11. Wissen Sie nicht, daß er operiert . . . . ? 12. Warum . . . . er denn operiert . . . . ? 13. Er . . . . doch neulich von einem Auto angefahren und schwer verletzt. 14. Da . . . . er aber von Glück sagen, daß er noch lebt. 15. Er . . . . aber schon wieder entlassen . . . .

b) Verben

1. Herr Kraus möchte bei der Firma Hartmann . . . . 2. Er wird von Herrn Hartmann . . . . 3. Ich habe . . . . , daß Sie bei uns arbeiten . . . . 4. Das freut mich. Darf ich . . . . , warum? 5. Ihre Firma wird allgemein . . . . , und Ihre Leute werden gut . . . . 6. Bei Ihnen ist doch ein Kraftfahrer krank . . . . 7. Ja, aber wissen Sie auch, daß bei uns auch samstags . . . . wird? 8. Das . . . . mir nichts aus, und . . . . muß man überall.

7 Dialoge:

Auf Stellensuche	**Wo arbeiten Sie?**
A: Ich suche Arbeit.	A: Haben Sie wieder Arbeit?
B: Was sind Sie von Beruf?	B: Ja, Gott sei Dank.
A: . . . . :	A: Wo arbeiten Sie denn?
B: In der Branche liegt nichts vor.	B: . . . .
Soll ich Sie vormerken?	A: Was machen Sie da?
A: Das wäre sehr freundlich.	B: . . . .
Wann kann ich wiederkommen?	A: Gefällt Ihnen die Arbeit?
B: Kommen Sie	B: . . . .

Die Länder der Bundesrepublik Deutschland und Westberlin

1 Schleswig-Holstein, 2 Hamburg, 3 Bremen, 4 Niedersachsen, 5 Nordrhein-West-falen, 6 Hessen, 7 Rheinland-Pfalz, 8 Saarland, 9 Baden-Württemberg, 10 Bayern

19 Die Einladung

Herr und Frau Hartmann haben Gäste. Sie begrüßen Fräulein Klein
und Herrn Weber, die gerade angekommen sind.

Herr Hartmann: Stimmt das, was ich gehört habe:
Sie wollen heiraten?

Herr Weber: Ja, wir haben es vor.

Frau Hartmann: Meinen herzlichen Glückwunsch, Fräulein Klein!
Was wollen Sie mehr: einen Mann, der Sie liebt,
der gut verdient und den alle gern mögen?

Herr Weber: Vielen Dank für das Kompliment!

Herr Hartmann: Sie werden uns doch nicht verlassen, Fräulein Klein?

Fräulein Klein: Nein, nein! Wir haben schon darüber gesprochen.
Eine Arbeit, die mir so viel Spaß macht, und einen Chef,
dem ich so viel verdanke, möchte ich nicht im Stich lassen.

Herr Hartmann: Da bin ich aber froh. Das müssen wir feiern.
Prosit! Auf Ihr Wohl!

Herr und Frau Hartmann
haben Gäste.
Sie begrüßen Fräulein Klein
und Herrn Weber,
die gerade angekommen sind.

Fräulein Klein heiratet einen Mann,
der sie liebt,
der gut verdient
und den alle gern mögen.

Fräulein Klein will ihre Arbeit,
die ihr viel Spaß macht,
und ihren Chef,
dem sie so viel verdankt,
nicht im Stich lassen.

Sie will in der Firma bleiben,
in der sie bisher gearbeitet hat.
Herr Hartmann sagt:
Das ist ein Ereignis,
das wir feiern müssen.

1 Bitte ergänzen Sie:

Welcher Herr?	Der da.	Welches Kleid?	Das da.
Welches Auto?	......	Welcher Wagen?	......
Welche Tasche?	......	Welche Zeitung?	......
Welcher Koffer?	......	Welcher Apparat?	......
Welche Zeitungen?	......	Welches Haus?	......

Welchen Brief?	Den hier.	Mit welchem Wagen?	Mit dem da.
Welches Foto?	....	Aus welcher Tasche?	....
Welchen Wagen?	....	An welchem Tisch?	....
Welche Zeitung?	....	In welchem Buch?	....
Welchen Apparat?	....	In welcher Straße?	....

2 Bitte ergänzen Sie:

Dort kommt der Bus,	*Das ist der Bus,*
der hält hier,	der hier hält,
der fährt zum Bahnhof,	....
mit dem können wir fahren,	....
in den müssen wir einsteigen,	....
der hält überall.	....

3 Wiederholen Sie die Übung. Beginnen Sie „Das ist die Straßenbahn, die ...".

4 Bitte ergänzen Sie:

Der Herr dort,	*Das ist der Herr,*
bei dem wohne ich,	bei dem ich wohne,
mit dem habe ich gesprochen,	....
mit dem arbeite ich zusammen,	....
auf den habe ich gewartet,	....
mit dem können wir fahren.	....

Ich suche ein Buch.	Ist das das Buch, das Sie suchen?
Ich suche einen Brief.	Ist das der Brief, ...?
Ich suche meine Tasche.	..............., ...?
Ich suche das Telegramm.	..............., ...?
Ich suche meinen Schlüssel.	..............., ...?
Ich suche meine Papiere.	..............., ...?

106

Nichts zu machen!

A: Was ist denn mit Ihnen los?

B: Ich habe nichts zu tun,
nichts zu essen, nichts zu trinken,
nichts zu rauchen, was soll ich machen?

A: Können Sie denn nicht arbeiten
oder wenigstens etwas lernen?

B: Ich habe keine Lust zu arbeiten
und auch keine Lust, etwas zu lernen.

A: Wenn das so ist, kann ich
Ihnen auch nicht helfen.
Dann ist wirklich nichts zu ändern.

5 Bitte ergänzen Sie:

Ich habe nichts zu tun.   Da ist nichts zu machen.

. . . . essen.   . . . . sehen.

. . . . trinken.   . . . . ändern.

. . . . rauchen.   . . . . reparieren.

. . . . lesen.   . . . . wollen.

6 Bitte antworten Sie „Ich habe keine Lust ...":

Wollen Sie arbeiten?   Ich habe keine Lust zu arbeiten.

Wollen Sie was lernen?   . . . .

Wollen Sie ins Kino gehen?   . . . .

Wollen Sie im Café sitzen?   . . . .

Wollen Sie hier bleiben?   . . . .

Wollen Sie wegfahren?   . . . .

7 Bitte ergänzen Sie:

Ich freue mich, Sie getroffen zu haben.

. . . . , . . . gesehen . . . .

. . . . , . . . kennengelernt . . . .

. . . . , mit Ihnen gesprochen . . . .

. . . . , Ihre Bekanntschaft gemacht . . . .

8 Bitte ergänzen Sie:

a) der, das, die, den usw.

1. Herr und Frau Hartmann haben Gäste. 2. Sie begrüßen Fräulein Klein und Herrn Weber, ... gerade angekommen sind. 3. Stimmt ....., was ich gehört habe: Sie wollen heiraten? 4. Was wollen Sie mehr: einen Mann, ... Sie liebt, ... gut verdient, und ..... alle gern mögen? 5. Sie werden uns doch nicht verlassen, Fräulein Klein! 6. Eine Arbeit, ... mir so viel Spaß macht, und einen Chef, ... ich so viel verdanke, möchte ich nicht im Stich lassen. 7. Diese Verlobung ist ein Ereignis, ... wir feiern müssen.

b) zu

1. Was ist denn mit Ihnen los? 2. Ich habe nichts ..... tun, nichts ..... essen, nichts ..... trinken, nichts ..... rauchen. 3. Was soll ich machen? 4. Aber können Sie denn nicht arbeiten oder etwas lernen? 5. Ich habe keine Lust ..... arbeiten und auch keine Lust, etwas ..... lernen. 6. Ja, dann ist wirklich nichts ..... machen.

c) Verben

1. Was .... denn mit Ihnen los? 2. Ich .... nichts zu tun. 3. Was .... ich machen? 4. Aber .... Sie denn nicht arbeiten oder etwas lernen? 5. Ach, ich .... keine Lust zu .... und auch keine Lust, etwas zu .... 6. Ja, dann ist wirklich nichts zu ....

9 Dialoge:

Treiben Sie Sport?

A: Haben Sie immer noch Zeit,
   Sport zu treiben?
B: ....
A: Was machen Sie denn am Sonntag?
B: ....
A: Warum spielen Sie nicht Tennis?
B: ....
A: Ich würde am liebsten schwimmen.
B: Warum tun Sie's denn nicht?

Neugierig

A: Wie geht es Herrn ....?
B: ....
A: Ist er verheiratet?
B: Ja, schon seit ....
A: Kennen Sie seine Frau?
B: Ja, ...
A: Ist es die Dame, mit der Sie
   gesprochen haben?
B: ....

108

Der Bundestag in Bonn

Die Bürger der Bundesrepublik Deutschland bestimmen ihre Vertreter im Parlament in freier Wahl. Alle vier Jahre finden die Wahlen zum Deutschen Bundestag statt.

Der 6. Deutsche Bundestag nach der Wahl am 28. September 1969:

CDU/CSU	242 Abgeordnete
SPD	224 Abgeordnete
FDP	30 Abgeordnete
	496 Abgeordnete

Westberlin entsendet 15 Abgeordnete von der SPD, 6 Abgeordnete von der CDU und 1 Abgeordneten von der FDP.

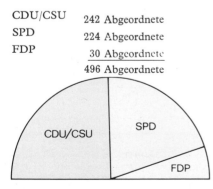

CDU – Christlich-Demokratische Union
CSU – Christlich-Soziale Union
SPD – Sozialdemokratische Partei
       Deutschlands
FDP – Freie Demokratische Partei

Das Schlaraffenland liegt drei Meilen hinter Weihnachten, und der Weg dorthin führt erst rechts, dann links oder auch umgekehrt. Wenn man in das Land hinein will, muß man sich durch einen Berg von Kuchen essen.

Die Häuser in dem Land sind mit Pfannkuchen gedeckt. Die Türen sind aus Lebkuchen, die Fenster aus Zucker und die Wände aus Braten oder Schinken.

Vor jedem Haus ist ein Zaun aus Würsten, mal kalt, mal braun gebraten, ganz nach Wunsch. Alle Straßen im Schlaraffenland sind mit Käse gepflastert. Für durstige Leute ist es besonders schön hier; denn in Brunnen, Bächen und Strömen fließt der allerbeste Wein.

Die Tannen im Walde tragen keine Tannenzapfen, sondern süßes Gebäck, Sterne und Ringe oder auch goldene Äpfel und Nüsse. Sie sehen aus wie bei uns der Weihnachtsbaum. An den Weiden hängen frische Brötchen, und darunter fließen Bäche mit Milch. Man kann immer frühstücken, wenn man will, denn auch Tassen und Löffel liegen im Gras bereit.

Ganz merkwürdig ist es mit den Fischen im Schlaraffenland. Sie schwimmen nicht tief im Wasser, sondern sie bleiben an der Oberfläche ganz nah am Ufer. So kann man sie nehmen und gleich essen, weil sie ja auch schon gebacken sind. Wenn man besonders faul ist, legt man sich einfach auf den Rücken und macht den Mund weit auf. Dann fliegen die gebratenen Hühner, Gänse und Tauben von selbst hinein. Auch die Schweine und Hammel laufen gebraten im Lande herum und haben im Rücken gleich Messer und Gabel stecken.

Wenn es im Winter regnet, so regnet es starken Kaffee, wenn es im Sommer schneit, so schneit es reinen Zucker.

Jaja, es ist ein herrliches Land, das Schlaraffenland – aber nur für die, die hineinkommen.

In Anlehnung an Bechstein

nänie auf den apfel

hier lag der apfel
hier stand der tisch
das war das haus
das war die stadt
hier ruht das land.

Nänie = Klagelied

dieser apfel dort
ist die erde
ein schönes gestirn
auf dem es äpfel gab
und esser von äpfeln.

Hans Magnus Enzensberger

Sprichwörter

Wer zuletzt lacht, lacht am besten.
Der Spatz in der Hand ist besser als die Taube auf dem Dach.
Wer andern eine Grube gräbt, fällt selbst hinein.
Eifersucht ist eine Leidenschaft, die mit Eifer sucht, was Leiden schafft.

Ade zur guten Nacht

1. A - de zur gu-ten Nacht, jetzt wird der Schluß gemacht, daß ich muß schei - den. Im Sommer, da wächst der Klee, im Win-ter, da schneits den Schnee, da komm ich wie - der.

2. Es trauern Berg und Tal, wo ich viel tausendmal bin drüber gangen; das hat deine Schönheit gemacht, die hat mich zum Lieben gebracht mit großem Verlangen.

3. Die Mädchen in der Welt sind falscher als das Geld mit ihrem Lieben. Ade zur guten Nacht! Jetzt wird der Schluß gemacht, daß ich muß scheiden.

Grammatische Übersichten

1

1 Frage und Antwort

Kommen Sie aus Berlin, Herr Schmitt?   Ja, **ich komme** aus Berlin.

Wohnen Sie in München?   Nein, **ich wohne** nicht in München.

Lernen Sie Deutsch?   { Ja, **ich lerne** Deutsch.
   { Ja, **wir lernen** Deutsch.

2 Präsens

Singular   *höflich*   *Plural*

Ich lerne Deutsch.   Wir lern**en** Deutsch.

Du lern**st** Deutsch.   „Lern**en** Sie Deutsch?"   Ihr lern**t** Deutsch.

Er lern**t** Deutsch.   Sie lern**en** Deutsch.

lernen	kommen	gehen	wohnen	fahren
ich lern-**e**	ich komm-**e**	ich geh-**e**	ich wohn-**e**	ich fahr-**e**
du lern-**st**	du komm-**st**	du geh-**st**	du wohn-**st**	du fähr-**st**
er ⎫	er ⎫	er ⎫	er ⎫	er ⎫
sie ⎬ lern-**t**	sie ⎬ komm-**t**	sie ⎬ geh-**t**	sie ⎬ wohn-**t**	sie ⎬ fähr-**t**
es ⎭	es ⎭	es ⎭	es ⎭	es ⎭
wir lern-**en**	wir komm-**en**	wir geh-**en**	wir wohn-**en**	wir fahr-**en**
ihr lern-**t**	ihr komm-**t**	ihr geh-**t**	ihr wohn-**t**	ihr fahr-**t**
sie lern-**en**	sie komm-**en**	sie geh-**en**	sie wohn-**en**	sie fahr-**en**

3 Lage – Richtung

Wo?   ⊙   (Lage)   Ich wohne **in** Köln.

Woher? ◄——— (Richtung)   Ich komme **aus** Berlin.

Wohin? ———► (Richtung)   Ich fahre **nach** Frankfurt.

4 wer? – was?

Wer ist das? Das ist **Herr** Hartmann.   **Was** ist das?   Das ist ein Apparat.
Wer ist das? Das ist **Frau** Hartmann.   **Was** sind Sie?   Wir sind Schüler.
Wer ist das? Das ist **Fräulein** Klein.   **Was** machen Sie? Wir lernen Deutsch.

5 sein (Präsens)

Singular	höflich	Plural
ich **bin**		wir **sind**
du **bist**	„**Sind** Sie...?"	ihr **seid**
er		
sie } **ist**		sie **sind**
es		

6 Wortstellung (Stellenplan)

Subjekt	Verb	Ergänzung	
Ich	bin	da.	(Adverb)
Sie	ist	jung.	(Adjektiv)
Herr Hartmann	ist	verreist.	(Partizip)
Er	ist	Kaufmann.	(Nomen)

7 ein – eine; kein – keine; mein – meine

maskulin/neutral		feminin		Plural	
ein	Mann	**eine**	Frau	—	Leute
ein	Pfennig	**eine**	Mark	fünf	Mark
ein	Büro	**eine**	Karte	neun	Karten
ein	Auto	**eine**	Zeitung	viele	Zeitungen
kein	Geld	**keine**	Karte	**keine**	Zeitungen
mein	Geld	**meine**	Karte	**meine**	Zeitungen
dein	Geld	**deine**	Karte	**deine**	Zeitungen
sein	Geld	**seine**	Karte	**seine**	Zeitungen
unser	Geld	**unsere**	Karte	**unsere**	Zeitungen
euer	Geld	**euere**	Karte	**euere**	Zeitungen
ihr	Geld	**ihre**	Karte	**ihre**	Zeitungen

2

3

113

8 Die Zahlen

1 eins	11 elf	21 einundzwanzig	10 zehn
2 zwei	12 zwölf	22 zweiundzwanzig	20 zwanzig
3 drei	13 dreizehn	23 dreiundzwanzig	30 dreißig
4 vier	14 vierzehn	24 vierundzwanzig	40 vierzig
5 fünf	15 fünfzehn	25 fünfundzwanzig	50 fünfzig
6 sechs	16 sechzehn	26 sechsundzwanzig	60 sechzig
7 sieben	17 siebzehn	27 siebenundzwanzig	70 siebzig
8 acht	18 achtzehn	28 achtundzwanzig	80 achtzig
9 neun	19 neunzehn	29 neunundzwanzig	90 neunzig
10 zehn	20 zwanzig	30 dreißig	100 hundert
100 (ein)hundert	1.000 (ein)tausend	1.000.000 eine Million	

$3 + 4 = 7$
3 plus 4 ist 7

$12 - 4 = 8$
12 minus 4 ist 8

$3 . 3 = 9$
3 mal 3 ist 9

$15 : 3 = 5$
15 durch 3 ist 5

9 Die Uhrzeit

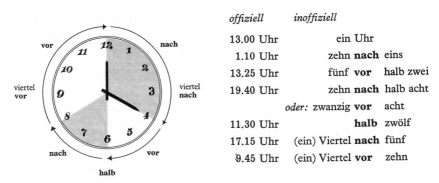

	offiziell	*inoffiziell*
	13.00 Uhr	ein Uhr
	1.10 Uhr	zehn **nach** eins
	13.25 Uhr	fünf **vor** halb zwei
	19.40 Uhr	zehn **nach** halb acht
		oder: zwanzig **vor** acht
	11.30 Uhr	**halb** zwölf
	17.15 Uhr	(ein) Viertel **nach** fünf
	9.45 Uhr	(ein) Viertel **vor** zehn

4 10 haben (Präsens)

Singular	*höflich*	*Plural*
ich habe		wir hab**en**
du **hast**	„Haben Sie...?"	ihr habt
er		
sie } **hat**		sie hab**en**
es		

11 Wortstellung (Stellenplan)

Subjekt	Verb	Ergänzung	
Ich	habe	frei.	*(Adjektiv)*
Er	hat	Zeit.	*(Nomen)*
Herr Hartmann	hat	ein Haus.	*(Artikel + Nomen)*
Wir	haben	kein Telefon.	*(Artikel + Nomen)*

12 haben und sein (Präteritum)

Singular		höflich	Plural		Singular		höflich	Plural	
ich	**hatte**		wir **hatten**	ich	**war**			wir **waren**	
du	**hattest**	„Hatten Sie..?"	ihr **hattet**	du	**warst**	„Waren Sie..?"	ihr **wart**	
er				er					
sie	**hatte**		sie **hatten**	sie	**war**			sie **waren**	
es				es					

13 ja – nein – doch

Haben Sie Gepäck?	**Ja,** ich habe 2 Koffer und eine Tasche.
Habe ich Post?	{ **Ja,** Sie haben 2 Briefe und ein Telegramm. { **Nein,** Sie haben keine.
Haben Sie **kein** Telefon?	**Nein,** leider nicht.
Haben Sie **keine** Kinder?	**Doch,** wir haben drei.

14 Die bestimmten Artikel

6

der Mann   **das** Kind   **die** Frau   **die** Leute

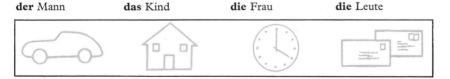

der Wagen   **das** Haus   **die** Uhr   **die** Briefe

15 Nominativ – Akkusativ

Hier ist der Paß und das Visum.

Hier ist die Post.

Hier sind die Briefe.

Er braucht **den** Paß und das Visum.

Frl. Klein bringt die Post.

Herr Hartmann liest die Briefe.

		maskulin	*neutral*	*feminin*	*Plural*
Nominativ	(wer? was?)	**der** = **er**			
Akkusativ	(wen? was?)	**den** = **ihn**	**das** = **es**	**die** = **sie**	**die** = **sie**

16 Die Pronomen

Nomen			*Pronomen*		
Frl. Klein	bestellt	den Wagen.	**Sie** bestellt	**ihn.**	
Herr Hartmann	braucht	das Visum.	**Er** braucht	**es.**	
Herr Weber	liest	die Zeitung.	**Er** liest	**sie.**	
Frl. Klein	bringt	die Briefe.	**Sie** bringt	**sie.**	
Haben	Sie	einen Wagen?	Ja, **ich** habe	**einen.**	
Braucht	er	ein Visum?	Ja, **er** braucht	**eins.**	
Schreiben	Sie	eine Karte?	Ja, **ich** schreibe	**eine.**	

17 wollen – können – müssen – dürfen

Fräulein Klein **will** ins Kino gehen. Sie **muß** noch zu Hause anrufen.

Herr Weber sagt: „Sie **können** sicher im Café telefonieren. **Darf** ich Sie begleiten?"

wollen	können	müssen	dürfen
ich will	ich kann	ich muß	ich darf
du will-**st**	du kann-**st**	du muß-**t**	du darf-**st**
er	er	er	er
sie } will	sie } kann	sie } muß	sie } darf
es	es	es	es
wir woll-**en**	wir könn-**en**	wir müss-**en**	wir dürf-**en**
ihr woll-**t**	ihr könn-**t**	ihr müß-**t**	ihr dürf-**t**
sie woll-**en**	sie könn-**en**	sie müss-**en**	sie dürf-**en**

116

18 werden (Präsens)

Singular   *höflich*   *Plural*

Ich werde Ingenieur.   Wir werden kommen.
Du **wirst** krank.   „Werden Sie kommen?"   Ihr werdet dort bleiben.
Es **wird** regnen.   Sie werden noch schreiben.

19 Prädikat

	Modalverb		Infinitiv
Ich	**will**	ins Kino	**gehen.**
Sie	**muß**	zu Haus	**anrufen.**
Jetzt	**können**	sie die Straße	**überqueren.**
Morgen	**wird**	es wohl	**regnen.**
	Darf	ich Sie heute	**einladen?**

20 wenn   8

Kommen Sie heute abend?   Ja, **wenn** ich Zeit habe.
                                    Wenn es möglich ist, gern.
                                    Wenn ich den Wagen bekomme.

Bitte reparieren Sie den Wagen,   wenn es möglich ist.

Wenn alles klappt,   ist der Wagen in vier Wochen da.

21 wann – wenn – dann

Wann fahren Sie in Urlaub? –   **Wenn** es nicht mehr regnet.
Wenn es aber vier Wochen regnet? **Dann** bleibe ich eben zu Haus.

22 warum – weil

Warum kommt er denn nicht?   **Weil** er krank ist.
                                    Weil es regnet.
                                    Weil er noch arbeiten muß.

23 Hauptsatz – Nebensatz

	Konjunktion		Prädikat
Ich komme heute abend,	**wenn**	ich Zeit	habe.
	wenn	es möglich	ist.
	wenn	ich den Wagen	bekomme.
Er kommt heute nicht,	**weil**	er krank	ist.
	weil	er noch	arbeiten muß.

24 wem?

Wie gefällt **dir** die Kamera?	**Mir?** – Gut!
Wem gehört sie denn?	Sie gehört **Stefan.** Ich schenke sie **ihm.**
Stefan dankt **dem** Vater und **der** Mutter.	Er dankt **ihm** und **ihr.**
Er dankt **den** Eltern.	Er dankt **ihnen.**

25 Nominativ – Akkusativ – Dativ

		maskulin	*neutral*	*feminin*	*Plural*
Nominativ	(wer? was?)	der = er	das = es	die = sie	die = sie
Akkusativ	(wen? was?)	den = ihn	das = es	die = sie	die = sie
Dativ	(wem?)	**dem = ihm**	**dem = ihm**	**der = ihr**	**den + n = ihnen**

26 Pronomen

Akkusativ		reflexiv		Dativ	
Er fragt	mich.	Ich freue	mich.	Es gefällt	mir.
Er fragt	dich.	Du freust	dich.	Es gefällt	dir.
Er fragt	ihn.	Er freut	**sich.**	Es gefällt	ihm.
Er fragt	sie.	Sie freut	**sich.**	Es gefällt	ihr.
Er fragt	es.	Es freut	**sich.**	Es gefällt	ihm.
Er fragt	uns.	Wir freuen	uns.	Es gefällt	uns.
Er fragt	euch.	Ihr freut	euch.	Es gefällt	euch.
Er fragt	sie.	Sie freuen	**sich.**	Es gefällt	ihnen.

27 Wortstellung (Stellenplan)

Nominativ	Verb	Dativ	Akkusativ
Er	antwortet	dem Vater.	—
Die Kamera	gehört	ihm.	—
Er	gibt	ihm	die Kamera.
Er	gibt	sie	ihm.

(The *ihm/die Kamera* and *sie/ihm* lines are linked by crossing arrows.)

11

28 Präpositionen

mit Akkusativ	*mit Dativ*
für, ohne, (durch, gegen, um)	**aus, bei, mit, nach** (temporal), **von, zu**

Ich danke Ihnen **für die** Einladung.
Ich danke Ihnen **für den** Brief.
Ich danke Ihnen **für das** Telegramm.

Frau Schulz trinkt den Kaffee
ohne Milch und Zucker.

Frau Schulz ist **bei** Frau Hartmann.
Sie sagt: Es war sehr schön **bei Ihnen.**
Nach dem Kaffee fährt Frau Hartmann
mit Frau Schulz in die Stadt.
Sie fahren **mit dem** Wagen.
Sie fahren **zur** Schule.
Inge kommt **aus der** Schule.
Frau Schulz holt sie **von der** Schule ab.

Beachten Sie: bei dem = **beim**; zu dem = **zum**; zu der = **zur**; von dem = **vom**

29 mit wem? – womit?

Mit wem fährt Frau Hartmann?

Sie fährt mit Frau Schulz.
Sie fährt **mit ihr.**

Womit fahren sie?

Sie fahren **mit dem** Wagen,
mit dem Taxi,
mit der Straßenbahn.

Kann sie **mit dem** Bus zurückfahren?

Ja, sie kann **damit** zurückfahren.

Präposition + Pronomen		*da + Präposition*	
für wen?	– für ihn, für sie	wofür?	– **dafür**
mit wem?	– mit ihm, mit ihr	womit?	– **damit**
von wem?	– von ihm, von ihr	wovon?	– **davon**
zu wem?	– zu ihm, zu ihr	wozu?	– **dazu**

119

30 Perfekt mit „haben"

1. *Schwache Verben*

a) Er	hat	eine Platzkarte	**be - stell -t.**
b) und	hat	schon die Fahrkarte	**ge - kauf -t.**
c) Dann	hat	er sie zu Haus	**ab - ge - hol -t.**
d) Sie	hat		**telefonier -t.**

a) bestellen   erklären   überqueren   verkaufen
   (sich) entschuldigen gehören   versuchen   wiederholen

b)	brauchen	hören	regnen	stellen
	danken	holen	(sich) setzen	üben
	dauern	kosten	sagen	wohnen
	fragen	kaufen	sollen	wollen
	(sich) freuen	lieben	suchen	zahlen
	grüßen	lernen	schicken	zählen
	glauben	loben	schenken	zeigen
	haben	machen	packen	

c) abholen   einkaufen

d) diktieren   gratulieren   reparieren   telefonieren
   funktionieren

Beachten Sie: Verben auf **-t** und **-d** haben im Partizip Perfekt die Endung **-et:**
antworten/geantwort**et**; arbeiten/gearbeit**et**; anmelden/angemeld**et**.

2. *Starke Verben*

a) Sie	hat	ihren Paß	**ver - gess - en.**
b) Er	hat	ihr die Fahrkarte	**ge - geb - en.**
c) Sie	hat	ihren Mantel	**an - ge - zog - en.**

a) bekommen   (sich) unterhalten   verstehen/verstanden

b)	essen/gegessen	helfen/geholfen	liegen/gelegen	sehen/gesehen
	finden/gefunden	halten/gehalten	nehmen/genommen	schreiben/geschrieben
	geben/gegeben	lesen/gelesen	sitzen/gesessen	tun/getan

c) anrufen/angerufen   ansehen/angesehen   anziehen/angezogen

3. *Unregelmäßige Verben*

Er	hat	die Koffer zum Wagen	**ge - brach - t.**
Sie	hat	an das Visum	**ge - dach - t.**

bringen/gebracht   dürfen/gedurft   können/gekonnt   wissen/gewußt
denken/gedacht   kennen/gekannt   müssen/gemußt

31 Perfekt mit „sein"

| *Starke Verben* | a) Wir | sind | ins Kino | **ge - gang - en.** |
| | b) Herr Schmitt | ist | gestern abend | **weg - ge - fahr - en.** |

a) bleiben/ist geblieben   gehen/ ist gegangen   steigen/ist gestiegen

    fahren/ist gefahren   kommen/ist gekommen   werden/ist geworden

    fliegen/ist geflogen   sein/ist gewesen

b) mitfahren/ist mitgefahren   wegfahren/ist weggefahren

    spazierengehen/ist spazierengegangen   zurückkommen/ist zurückgekommen

32 Die Präpositionen in, an, auf   **13**

mit Akkusativ   *mit Dativ*

Wohin wollen Sie sich setzen?   Wo ist ein Tisch frei?

– **ans** Fenster,   – **am** Fenster,

– **in die** Ecke,   – **in der** Ecke,

– **auf die** Terrasse?   – **auf der** Terrasse?

33 Wohin? → *(Richtung)*   Wo? ⊙ *(Lage)*

ins Büro, **ins** Kino, **in die** Schule;   **im** Büro, **im** Hotel, **in der** Schule;

an den Tisch, **an den** Apparat;   **am** Tisch, **an der** Wand, **am** Apparat;

auf den Berg, **aufs** Postamt;   **auf dem** Berg, **auf dem** Postamt.

Beachten Sie: in das = **ins**; auf das = **aufs**; an das = **ans**; an dem = **am**; in dem = **im**

Weitere Präpositionen mit Dativ/Akkusativ: hinter, neben, über, unter, vor, zwischen

34 stellen/stehen – legen/liegen

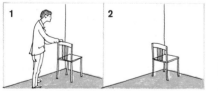 

1. Er stellt den Stuhl **in die** Ecke.   3. Er legt das Buch **auf den** Tisch.

2. Der Stuhl steht **in der** Ecke.   4. Das Buch liegt **auf dem** Tisch.

35 hin – her

Ich gehe (zu ihm) **hinaus,**　　　　　　Er kommt (zu mir) **heraus,**
　　　　　　　hinauf,　　　　　　　　　　　　　　**herauf,**
　　　　　　　hinein,　　　　　　　　　　　　　　**herein,**
　　　　　　　hinüber.　　　　　　　　　　　　　**herüber.**

Beachten Sie *die Kurzformen:* Komm rein, rauf, raus, rüber.

36 Das attributive Adjektiv

1. Bestimmter Artikel + Adjektiv

Nominativ:

Die Bluse ist hübsch.　　　　　　　　Hier ist die hübsch**e** Bluse.
Das Kleid ist neu.　　　　　　　　　　Hier ist das neu**e** Kleid.
Der Rock ist weiß.　　　　　　　　　　Hier ist der weiß**e** Rock.
Die Sachen sind modern.　　　　　　　Hier sind die modern**en** Sachen.

Akkusativ: Sie kauft die blau**e** Bluse, das neu**e** Kleid und den weiß**en** Rock.
Dativ: Er wohnt in dem Haus mit dem groß**en** Garten.

	maskulin	*neutral*	*feminin*
Nominativ:	der weiß-**e** Rock	das neu-**e** Kleid	die hübsch-**e** Bluse
Akkusativ:	den weiß-**en** Rock	das neu-**e** Kleid	die hübsch-**e** Bluse
Dativ: (mit)	dem weiß-**en** Rock	dem neu-**en** Kleid	der hübsch-**en** Bluse

— *Plural* —

Nominativ:	die modern-**en** Sachen
Akkusativ:	die modern-**en** Sachen
Dativ:	(mit) den modern-**en** Sachen

2. Unbestimmter Artikel + Adjektiv

Der Rock ist weiß.　　　　　　　　　　Das ist ein weiß**er** Rock.
Das Kleid ist neu.　　　　　　　　　　Das ist ein neu**es** Kleid.
Die Bluse ist hübsch.　　　　　　　　Das ist eine hübsch**e** Bluse.
Die Sachen sind modern.　　　　　　　Das sind modern**e** Sachen.

	maskulin	neutral	feminin
Nominativ:	ein weiß-**er** Rock	ein neu-**es** Kleid	eine hübsch-**e** Bluse
Akkusativ:	einen weiß-**en** Rock	ein neu-**es** Kleid	eine hübsch-**e** Bluse
Dativ:	(mit) einem weiß-**en** Rock	einem neu-**en** Kleid	einer hübsch-**en** Bluse

Plural

Nominativ/Akkusativ:	modern-**e** Sachen
Dativ:	(mit) modern-**en** Sachen

37 Präteritum

Herr Weber **war** mit dem Auto in der Stadt und **hatte** es eilig.
Er **stellte** seinen Wagen am Straßenrand ab. Aber er **parkte** falsch.
Er **fragte** den Polizisten. Der Polizist **antwortete**...

fragen		antworten	
ich frag-**te**	wir frag-**ten**	ich antwort-e-**te**	wir antwort-e-**ten**
du frag-**test**	ihr frag-**tet**	du antwort-e-**test**	ihr antwort-e-**tet**
er frag-**te**	sie frag-**ten**	er antwort-e-**te**	sie antwort-e-**ten**

Er **kam** zurück und **fand** an seinem Wagen einen Strafzettel. Er **nahm** ihn, **ging** zum nächsten Polizisten und **gab** ihm den Zettel.

kommen	geben	gehen	finden	nehmen
ich kam	ich gab	ich ging	ich fand	ich nahm
du kam-**st**	du gab-**st**	du ging-**st**	du fand-**st**	du nahm-**st**
er kam	er gab	er ging	er fand	er nahm
wir kam-**en**	wir gab-**en**	wir ging-**en**	wir fand-**en**	wir nahm-**en**
ihr kam-**t**	ihr gab-**t**	ihr ging-**t**	ihr fand-**et**	ihr nahm-**t**
sie kam-**en**	sie gab-**en**	sie ging-**en**	sie fand-**en**	sie nahm-**en**

fahren/er fuhr; fliegen/er flog; schreiben/er schrieb; tun/er tat *usw.*
Unregelmäßige Verben: bringen/ er brachte; denken/er dachte; dürfen/er durfte;
kennen/er kannte; können/er konnte; müssen/er mußte; wissen/er wußte

38 Konjunktiv

Was für einen Wagen **würden** Sie sich denn kaufen?
Ich **hätte** gern einen Mercedes.
Ich **wäre** auch schon mit einem Volkswagen zufrieden.
Dann **könnte** ich zur Arbeit fahren.

sein	haben	werden	können
ich wär-**e**	ich hätt-**e**	ich würd-**e**	ich könnt-**e**
du wär-(e)**st**	du hätt-**est**	du würd-**est**	du könnt-**est**
er wär-**e**	er hätt-**e**	er würd-**e**	er könnt-**e**
wir wär-**en**	wir hätt-**en**	wir würd-**en**	wir könnt-**en**
ihr wär-(e)**t**	ihr hätt-**et**	ihr würd-**et**	ihr könnt-**et**
sie wär-**en**	sie hätt-**en**	sie würd-**en**	sie könnt-**en**

39 daß – ob

Ein Glück, **daß** der Knöchel nicht gebrochen ist.
Gut, **daß** keine Ferien sind.
Der Arzt wollte feststellen, **ob** das Bein gebrochen war oder nicht.

Gut,	**daß**	keine Ferien	sind.
Ich glaube,	**daß**	er noch	liegen muß.
Es ist schade,	**daß**	du nicht	gekommen bist.
Der Arzt will sehen,	**daß**	Stefan bald wieder	gesund wird.
Er fragt,	**ob**	wir	kommen.
Er möchte wissen,	**ob**	wir das	machen können.
Der Arzt wollte feststellen,	**ob**	das Bein	gebrochen war.

40 Indirekte Fragesätze

Er fragt,	**wann**	wir	kommen.
Sie möchte wissen,	**was**	sie noch	machen soll.
Ich weiß nicht,	**warum**	er schon	gegangen ist.
Weißt du,	**wo**	er	ist?

124

41 Komparation

Positiv	Komparativ	Superlativ	(prädikativ)
schwer	schwerer	der schwerste	(am schwersten)
schön	schöner	der schönste	(am schönsten)
alt	älter	der älteste	(am ältesten)
groß	größer	der größte	(am größten)
gut	besser	der beste	(am besten)
viel	mehr	das meiste	(am meisten)
gern	lieber	das liebste	(am liebsten)

42 Passiv

Die Sekretärin schreibt den Brief.

> Der Brief **wird** gerade **geschrieben.**

Herr Hartmann fragte Herrn Kraus.

> Herr Kraus **wurde** (von ihm) **gefragt.**
>
> Herr Müller mußte **operiert werden.**

	werden		*Partizip Perfekt*
Der Brief	**wird**	gerade	**geschrieben.**
Das Auto	**wird**	heute noch	**repariert.**
Die Firma	**wird**	von ihm	**gelobt.**
Die Geschäfte	**werden**	um 8 Uhr	**geöffnet.**
In Deutschland	**wird**	sonntags nicht	**gearbeitet.**

43 werden (Präteritum)

Singular		höflich	Plural	
ich	wurd-e		wir	wurd-en
du	wurd-est	„Wurden Sie...?"	ihr	wurd-et
er				
sie	wurd-e		sie	wurd-en
es				

44 Passiv (Präteritum und Perfekt)

Herr Müller	**wurde**		**verletzt.**
Er	**mußte**	sofort	**operiert werden.**
Er	**ist**	schon wieder	**entlassen worden.**
Er	**ist**	von seiner Frau	**abgeholt worden.**

45 Der Hauptsatz

Er	kommt	nicht.	
Wir	wollen	morgen nach Frankfurt	fahren.
Die Fahrkarte	habe	ich schon	gekauft.
Der Brief	muß	heute noch	geschrieben werden.

46 Der Nebensatz

Ja,	**wenn** es möglich	ist.
Er kauft das Auto,	**weil** er es	braucht.
Er sagt,	**daß** er ihn	gesehen hat.
Sie haben gefragt,	**ob** wir morgen	kommen können.
Wissen Sie,	**warum** er nicht	angerufen hat?

47 Der Relativsatz

Ist das das Buch,	**das** Sie suchen?	
Das ist der Brief,	**den** ich gesucht habe.	
Der Herr,	**mit dem** Sie gesprochen haben,	ist Arzt.

48 Relativpronomen

	maskulin	neutral	feminin	Plural
Nominativ:	**der**	**das**	**die**	**die**
Akkusativ:	**den**	**das**	**die**	**die**
Dativ: (mit)	**dem**	(mit) **dem**	(mit) **der**	(mit) **denen**

Wörterverzeichnis

Das Wörterverzeichnis enthält unter etwa 1000 Stichwörtern über 1200 Bedeutungen mit Beispielen aus dem Lehrbuch, d. h. alle Wörter der Dialoge und Übungen sowie die der Lesestücke und Informationstexte mit Ausnahme der Artikel, Pronomen und Zahlwörter. Die Stichwörter aus den Dialogen und Übungen sind halbfett, die aus Lesestücken und Informationstexten mager gedruckt.

Die halbfette Zahl hinter dem Wort zeigt die Lektion, die magere nach dem Komma die Seitenzahl an: am Abend **7**, 40: ‚am Abend' kommt in Lektion 7 auf Seite 40 vor.

Die Betonung zwei- oder mehrsilbiger Stichwörter wird durch einen Akzent (') gekennzeichnet; betont wird die dem Akzent folgende Silbe ('abfahren; Bü'ro).

Nach dem Schrägstrich (/) wird die Endung des Substantivs im Nominativ Plural angegeben (der Abend /e: die Abende).

Bindestrich nach dem Schrägstrich gibt an, daß der Nominativ Plural die gleiche Form hat wie der Singular (der Bürger /-: der Bürger, die Bürger).

Steht nach dem Substantiv weder Schrägstrich noch Bindestrich, hat das Substantiv keine Pluralform (der Zucker; die Milch).

Bei umlautenden Pluralendungen steht nach dem Schrägstrich erst der Umlaut des Stammvokals und nach ihm die Pluralendung (das Land /ä-er: die Länder).

Von Adjektiven werden die Steigerungsformen aufgeführt (hoch / höher / am höchsten).

Bei Verben folgen Präteritum, Perfekt und bei Umlaut, anschließend an den Infinitiv, die 3. Person Singular Präsens: fallen (fällt), fiel, ist gefallen.

Trennbarkeit der Partikel in unfesten Verbzusammensetzungen wird durch | bezeichnet (an|fangen: ich fange ... an).

Auf das Gegenwort (Antonym) zu Substantiv, Adjektiv und Verb weist der Pfeil (→) hin: Berg → Tal; hoch → tief; abholen → bringen.

Das Wörterverzeichnis stützt sich auf das Werk: Heinz Oehler, Grundwortschatz Deutsch – Essential German – Allemand fondamental. Ernst Klett Verlag, Stuttgart.

A

der 'Abend /e **4**, 26
am Abend **7**, 40
Guten Abend! **4**, 26
Was haben Sie heute abend vor?
7, 40
die 'Abendzeitung **3**, 20
'aber **2**, 17
Das dauert aber noch lange. **3**, 23
Er hat viel Arbeit, aber er hat leider
keine Zeit. **4**, 27
'ab|fahren (fährt ... ab), fuhr ...
ab, ist 'abgefahren → ankommen
12, 70
'ab|geben (gibt ... ab), gab ... ab,
hat 'abgegeben **10**, 59
der 'Abgeordnete /n **19**, 109
'ab|holen, 'holte ... ab, hat 'abgeholt
→ bringen **8**, 48
Er hat sie zu Haus abgeholt. **12**, 67
das Abi'tur **13**, 77
die 'Abkürzung /en **6**, 39
'ab|schleppen, 'schleppte ... ab, hat
'abgeschleppt **8**, 50
Müssen wir den Wagen abschleppen?
8, 50
abso'lut **15**, 85
'ab|stellen, 'stellte ... ab, hat 'abge-
stellt **16**, 87
Er stellte seinen Wagen am Straßenrand ab. **16**, 87
der 'Abzählreim /e **10**, 59
a'de **20**, 111
die A'dresse /n **5**, 32
ah *Interjektion* **2**, 14
die 'Aktiengesellschaft /en (AG) **6**, 39

'alle **9**, 52
... ein Mann, den alle gern mögen.
19, 104
... dann machst du eine Aufnahme
von uns allen. **9**, 52
al'lein **13**, 76
'alles → nichts **4**, 27
Er hat alles. **4**, 29
Wenn alles klappt, ... **8**, 46
Ich habe alles gepackt. **12**, 66
Ich glaube, ich habe alles. **12**, 66
allge'mein **18**, 98
Ihre Firma wird allgemein gelobt.
18, 98
als **10**, 59
'also **18**, 98
Bis Montag also! **18**, 98
alt / 'älter / am 'ältesten → jung,
neu **2**, 17
Wenn man alt ist, ... **17**, 95
Wir werden älter. **17**, 95
die 60jährigen und Älteren **15**, 85
das 'Alter **17**, 95
die 'Ampel /n **7**, 41
Die Ampel ist grün. **7**, 41
an *Präposition m. Dat/Akk* **2**, 14
Wer ist am Apparat? **2**, 14
an den Tisch, ans Fenster, an die Tür
am Tisch, am Fenster, an der Tür
13, 72/73
Sie können am Montag anfangen.
18, 98
Wer zuletzt lacht, lacht am besten.
20, 111
der / die / das 'andere **10**, 58
'ändern, 'änderte, hat ge'ändert
19, 107

Da ist nichts zu ändern. **19,** 107

**'an|fahren (fährt ... an), fuhr ...
an, ist (hat) 'angefahren 18,** 101

Er wurde von einem Auto angefahren.
18, 101

der 'Anfang /ä-e → Ende **5,** 33

**'an|fangen (fängt ... an), fing ...
an, hat 'angefangen 18,** 98

Sie können am Montag anfangen.
18, 98

der 'Angestellte /n **15,** 85

**'an|kommen, kam ... an, ist 'ange-
kommen** → abfahren **19,** 104

Sie begrüßen Frl. K. und Herrn W.,
die gerade angekommen sind. **19,** 104

die 'Anlage /n **9,** 57

in Anlehnung an **20,** 110

(sich) **'an|melden,** 'meldete ... an,
hat 'angemeldet **18,** 98

Er meldet sich im Büro an. **18,** 98

'an|probieren, pro'bierte ... an, hat
'anprobiert **14,** 82

Kann ich das anprobieren? **14,** 82

die 'Anrede /n **1,** 12

**'an|rufen, rief ... an, hat 'angeru-
fen 6,** 34

Ich rufe sofort an. **6,** 34

(sich) **'an|sehen (sieht ... an), sah
... an, hat 'angesehen 8,** 46

Sehen Sie den Motor bitte an. **8,** 46

Sie sehen sich an. **9,** 55

**'an|springen, sprang ... an, ist 'an-
gesprungen 8,** 50

Der Motor springt nicht an. **8,** 50

die 'Antwort /en **1,** 12

'antworten, 'antwortete, hat ge'antwortet **1,** 10

Sie fragen, und wir antworten. **1,** 11

Er antwortet ihm. **9,** 53

**'an|ziehen, zog ... an, hat 'angezo-
gen 12,** 67

Sie zieht ihren Mantel an. **12,** 67

Jetzt hat sie ihren Mantel angezogen.
12, 67

der 'Apfel /ä **20,** 110

der Appa'rat /e 2, 14

Wer ist am Apparat? **2,** 14

Wie funktioniert denn der Apparat?
9, 52

die 'Arbeit /en 4, 27

Er hat viel Arbeit. **4,** 27

Ein großer Garten macht viel Arbeit.
14, 81

'arbeiten, 'arbeitete, hat ge'arbeitet **4,**
27

Er möchte bei der Firma arbeiten.
18, 98

Bei uns wird samstags gearbeitet.
18, 99

arm / 'ärmer / am 'ärmsten → reich
4, 29

Früher war er arm, jetzt ist er reich.
4, 29

der Arzt /ä-e 17, 92

beim Arzt **17,** 92

die 'Ärztin /nnen **13,** 77

auch *Konjunktion* **1,** 9

Ich komme auch aus Berlin. **1,** 9

Er will auch ins Kino gehen. **7,** 41

Haben Sie auch nichts vergessen?
12, 66

Arbeiten Sie auch am Samstag?
18, 99

auf *Präposition m. Dat/Akk* **1,** 8

Auf Wiedersehen! **1**, 8
Auf Wiederhören! **2**, 14
auf der Terrasse **13**, 73
Er wartet auf einen Kollegen.
13, 73
auf den Schrank **13**, 75
auf jeden Fall **17**, 96
Auf Ihr Wohl! **19**, 104
Wie heißt das auf deutsch?
die **'Aufgabe** /n **12**, 68
'auf|machen, 'machte … auf, hat 'auf-
gemacht **20**, 110
'aufmerksam / 'aufmerksamer / am
'aufmerksamsten **9**, 56
Das ist sehr aufmerksam von Ihnen.
9, 56
die **'Aufnahme** /n **9**, 52
Dann machst du eine Aufnahme …
9, 52
aus *Präposition m. Dativ* **1**, 8
Kommen Sie aus Berlin? **1**, 8
Sie kommt aus dem Unterricht.
11, 61
'aus|machen, 'machte … aus, hat
'ausgemacht **18**, 98
Das macht mir nichts aus. **18**, 98
Er macht das Licht aus.
'aus|sehen (sieht … aus), sah … aus,
hat 'ausgesehen **20**, 110
die **'Aussprache 11**, 62
der **'Ausweis** /e **12**, 66
das **'Auto** /s **2**, 17
Das ist mein Auto. **2**, 17
Er war mit dem Auto in der Stadt.
16, 87
die **'Autobahn** /en **8**, 51
die Automati'on **4**, 31

B

der Bach /ä-e **20**, 110
das **Bad** /ä-er — 'Badezimmer **4**, 26
ein Einzelzimmer mit Bad **4**, 26
Ich nehme ein Bad.
der **'Bahnhof** /ö-e **12**, 66
Sie fahren zum Bahnhof. **12**, 66
der **'Bahnsteig** /e **12**, 70
bald 5, 32
Der Arzt will sehen, daß Stefan bald
wieder gesund wird. **17**, 93
der Bau /ten **8**, 51
der Be'amte /n **15**, 85
be'deuten, be'deutete, hat be'deutet
6, 39
be'fragen, be'fragte, hat be'fragt
15, 85
be'ginnen, be'gann, hat be'gonnen
6, 36
be'gleiten, be'gleitete, hat be'gleitet
7, 40
Darf ich Sie begleiten? **7**, 40
be'grüßen, be'grüßte, hat be'grüßt
19, 104
Sie begrüßen Frl. K. und Herrn W.
19, 104
bei *Präposition m. Dativ* **11**, 60
beim Arzt **17**, 92
Frau S. ist bei Frau H. **11**, 60
Bei uns wird auch samstags gearbeitet. **18**, 99
das **Bein** /e **15**, 85
Sorgen Sie dafür, daß er das Bein
ruhig hält. **17**, 92
das **'Beispiel** /e **6**, 39
die **Be'kanntschaft** /en **19**, 107

Ich freue mich, Ihre Bekanntschaft gemacht zu haben. **19**, 107

be'kommen, be'kam, hat be'kommen → geben **3**, 20

Briefmarken bekommen Sie im Postamt. **3**, 20

Wann bekomme ich einen neuen Wagen, wenn ich ihn sofort bestelle? **8**, 46

be'reit **20**, 110

der Berg /e → Tal **12**, 69

der Be'ruf /e **18**, 102

Was sind Sie von Beruf? **18**, 102

die Be'rufsschule /n **13**, 77

be'setzt → frei **16**, 90

Der Parkplatz ist besetzt. **16**, 90

be'sonders 14, 78

Die Bluse ist besonders hübsch. **14**, 78

die 'Besserung 17, 92

Gute Besserung, mein Junge! **17**, 92

be'stellen, be'stellte, hat be'stellt **6**, 34

Sie bestellt den Wagen. **6**, 35

be'stimmen, be'stimmte, hat be'stimmt **19**, 109

be'stimmt 7, 43

Das freut ihn bestimmt. **9**, 52

Haben Sie einen bestimmten Wunsch? **14**, 78

der Be'such /e **5**, 32

be'suchen, be'suchte, hat be'sucht **13**, 77

be'tragen, be'trägt, be'trug, hat be'tragen **8**, 51

be'vorzugen, be'vorzugte, hat bevorzugt **15**, 85

be'wußtlos 17, 96

Waren Sie bewußtlos? **17**, 96

be'zahlen, be'zahlte, hat be'zahlt **16**, 89

Ihre Leute werden gut bezahlt. **18**, 98

das Bild /er **13**, 74

'billig / 'billiger / am 'billigsten → teuer **2**, 17

Ja, billig ist es nicht. **2**, 17

Welche Bluse ist billiger? **14**, 79

bis *Präposition* **11**, 64

bis Montag **18**, 98

Montag bis Freitag **18**, 99

bis'her 19, 105

Sie will in der Firma bleiben, in der sie bisher gearbeitet hat. **19**, 105

'bitten, bat, hat ge'beten 1, 10

Entschuldigen Sie bitte! **2**, 18

Bitte! **3**, 20

Bitte sehr! **16**, 86

Nehmen Sie bitte Platz! **18**, 98

'bitterlich **10**, 59

blau hellblau / dunkelblau **14**, 78

Hier ist eine blaue Bluse. **14**, 78

'bleiben, blieb, ist ge'blieben 4, 26

Ich bin daheim geblieben. **12**, 69

Sie will in der Firma bleiben. **19**, 105

der Blick /e **7**, 45

'blitzen, 'blitzte, hat ge'blitzt **15**, 84

die 'Blume /n **13**, 75

Soll ich die Blumen hierher oder dorthin stellen? **13**, 75

die 'Bluse /n **14**, 78

Sie möchte einen Rock und eine Bluse. **14**, 79

das 'Bobfahren **9**, 57

das 'Boxen **9**, 57

die 'Branche /n **18**, 102

der 'Braten /- **20**, 110

'**brauchen,** 'brauchte, hat ge'braucht **6**, 34

Er braucht den Wagen um 10 Uhr. **6**, 35

Brauchen Sie ein Visum? **6**, 35

braun hellbraun/dunkelbraun **20**, 110

'**brechen (bricht), brach, hat (ist)** ge'**brochen 17**, 92

Ein Glück, daß der Knöchel nicht gebrochen ist. **17**, 92

breit / 'breiter / am 'breitesten **16**, 86

Es gab weit und breit keinen Parkplatz. **16**, 86

Die Straße ist breit.

der **Brief** /e **4**, 26

Sie haben zwei Briefe und ein Telegramm. **4**, 26

Er diktiert einen Brief. **6**, 35

die '**Briefmarke** /n **3**, 20

Briefmarken bekommen Sie im Postamt. **3**, 20

'**bringen,** 'brachte, hat ge'bracht → abholen **6**, 34

Die Sekretärin bringt die Post. **6**, 35

Sie haben ihn ins Krankenhaus gebracht. **18**, 101

das Brot /e **3**, 25

das 'Brötchen /- **20**, 110

der '**Bruder** /ü **10**, 58

der 'Brunnen /- **20**, 110

das **Buch** /ü-er **3**, 22

die 'Bundesrepublik **18**, 103

der 'Bundestag **19**, 109

der 'Bürger /- **19**, 109

das **Bü'ro** /s **2**, 15

im Büro **6**, 34

Er meldet sich im Büro an. **18**, 98

der **Bus** /sse **3**, 23

Wann kommt hier ein Bus? **3**, 23

Ich kann ja mit dem Bus zurückfahren. **11**, 60

die 'Butter **3**, 25

C

das **Ca'fé** /s **7**, 40

im Café **7**, 40

der **Chef** /s **19**, 104

Sie will ihren Chef nicht im Stich lassen. **19**, 105

'chemisch **6**, 39

D

da **2**, 14

Ist Herr Hartmann da? **2**, 14

Da kommt er ja. **9**, 52

Da haben Sie recht. **17**, 95

Da habe ich mir gedacht, ... **18**, 98

da'bei **15**, 84

das Dach /ä-er **20**, 111

dafür 11, 63

Was zahlen Sie denn da'für? **11**, 63

Sorgen Sie da'für, daß ... **17**, 92

da'heim 12, 69

Ich bin daheim geblieben. **12**, 69

dahin 16, 90

Wie komme ich da'hin? **16**, 90

die '**Dame** /n **19**, 108

Ist es die Dame, mit der Sie gesprochen haben? **19**, 108

Meine Damen und Herren!

133

... den Herrn dort. **6**, 37

Wollen Sie sich an den Tisch dort in der Ecke setzen? **13**, 73

dorthin 11, 64

Ich fahre dort'hin. **11**, 64

drum (s. darum) **10**, 59

'dunkel / 'dunkler / am 'dunkelsten **14**, 78

zu einer dunklen Bluse **14**, 78

'dunkeln, 'dunkelte, hat ge'dunkelt **15**, 84

durch *Präposition m. Akk.* **20**, 110

durch'leuchten, durch'leuchtete, hat durch'leuchtet **17**, 92

Er muß den Fuß durchleuchten. **17**, 92

'dürfen (darf), 'durfte, hat ge'durft 7, 40

Darf ich Sie einladen? **7**, 40

Jetzt dürfen sie gehen. **7**, 41

Was darf es sein? **14**, 78

'durstig **20**, 110

E

'eben **8**, 47

Dann bleibe ich eben zu Haus. **8**, 47

Sie hatten eben Pech. **16**, 86

die 'Ecke /n **13**, 72

Wollen Sie sich an den Tisch dort in der Ecke setzen? **13**, 73

Gut, wir gehen in die Ecke. **13**, 73

'ehrlich / 'ehrlicher / am 'ehrlichsten **15**, 85

der 'Eifer **20**, 111

die 'Eifersucht **20**, 111

die 'Eigenschaft /en **15**, 85

die 'Eile **10**, 59

'eilig / 'eiliger / am 'eiligsten **16**, 86

Er hatte es eilig. **16**, 86

die 'Einbahnstraße /n **16**, 90

'einfach / 'einfacher / am 'einfachsten **12**, 70

Einfach oder hin und zurück? **12**, 70

Das ist nicht einfach.

der 'Eingang /ä-e **13**, 72

Am Eingang ist noch Platz. **13**, 72

'einige **6**, 39

'ein|kaufen, 'kaufte ... ein, hat 'eingekauft → verkaufen **11**, 60

Ich muß noch einkaufen. **11**, 60

'ein|laden (lädt ... ein), lud ... ein, hat 'eingeladen 7, 40

Darf ich Sie ins Kino einladen? **7**, 41

die 'Einladung /en **11**, 60

Ich danke Ihnen für die Einladung. **11**, 60

'ein|laufen (läuft ... ein), lief ... ein, ist 'eingelaufen **14**, 83

'ein|steigen, stieg ... ein, ist 'eingestiegen 11, 64

Bitte steigen Sie ein! **11**, 64

die 'Einwohnerzahl /en **7**, 45

das 'Einzelzimmer /- **4**, 26

der 'Eiskunstlauf **9**, 57

die 'Eltern *(Plural)* **9**, 53

Er dankt seinen Eltern. **9**, 53

em'pfangen (em'pfängt), em'pfing, hat em'pfangen 18, 98

Er wird von Herrn H. empfangen.

das 'Ende **15**, 84   [**18**, 98

die Ent'fernung /en **8**, 51

ent'lassen (ent'läßt), ent'ließ, hat ent'lassen 18, 101

Er konnte schon wieder entlassen werden. **18**, 101

(sich) **ent'schuldigen,** ent'schuldigte, hat ent'schuldigt **1**, 8

Entschuldigen Sie, Herr H.! **1**, 8

Entschuldigung!

ent'senden, ent'sandte, hat ent'sandt **19**, 109

'entweder ... 'oder 16, 86

... entweder zahlen Sie, oder die Sache geht ans Gericht. **16**, 86

die 'Erde **20**, 111

der 'Erdteil /e **14**, 83

das Er'eignis /sse **19**, 105

Das ist ein Ereignis, das wir feiern müssen. **19**, 105

er'gänzen, er'gänzte, hat er'gänzt **1**, 10

die Er'gänzung /en **2**, 18

er'greifen, er'griff, hat er'griffen **15**, 84

er'klären, er'klärte, hat er'klärt **1**, 11

Sie erklären, und wir verstehen. **1**, 11

Ich möchte es Ihnen doch nur erklären. **16**, 86

er'reichen, er'reichte, hat er'reicht **15**, 85

er'setzen, er'setzte, hat er'setzt **10**, 58

erst 3, 20

Gehen Sie erst rechts, dann geradeaus. **3**, 20

Wir haben sie erst in den letzten Tagen bekommen. **14**, 78

der / die / das 'erste → letzte **10**, 59

er'warten, er'wartete, hat er'wartet **6**, 34

Ich erwarte ihn um fünf. **6**, 34

er'wartungsvoll **10**, 59

es *unpersönl. Pronomen* **1**, 8

Wie geht es Ihnen? **1**, 8

Danke, es geht! **1**, 8

Wo gibt es hier Briefmarken? **3**, 20

'essen (ißt), aß, hat ge'gessen **13**, 72

Er will im Restaurant essen. **13**, 72

Ich habe nichts zu essen. **19**, 107

das 'Essen /- **11**, 63

der 'Esser /- **20**, 111

'etwas (was) **3**, 20

Möchten Sie noch etwas? **3**, 20

Darf ich Sie was fragen? **7**, 41

Ich suche etwas Modernes. **14**, 78

F

die Fa'brik /en **18**, 99

In den Fabriken arbeitet man Montag bis Freitag. **18**, 99

der 'Facharbeiter /- **13**, 77

'fahren (fährt), fuhr, ist ge'fahren

Wohin fahren Sie? **1**, 9   [**1**, 8

Ich fahre nach München. **1**, 9

Ich fahre nach Haus. **1**, 9

Sie fährt zur Stadtmitte. **11**, 61

Sie fährt mit Frau S. **11**, 61

Womit fahren sie? **11**, 61

Sie fahren mit dem Wagen. **11**, 61

der 'Fahrer /- **18**, 98

Bei Ihnen ist doch ein Fahrer krank geworden. **18**, 98

die 'Fahrkarte /n **12**, 66

Er hat die Fahrkarte gekauft. **12**, 67

der 'Fahrkartenschalter /- **12**, 70

am Fahrkartenschalter **12**, 70

die Fahrt /en **2**, 17

Wir machen eine Fahrt. **2**, 17

der Fall /ä-e **17**, 96
auf jeden Fall **17**, 96
'fallen (fällt), fiel, ist ge'fallen **15**, 85
falsch → richtig **16**, 86
Sie haben leider falsch geparkt. **16**, 86
die Fa'milie /n **4**, 27
Sie hat keine Familie. **4**, 27
der 'Fasching **12**, 71
die 'Fastnacht **12**, 71
faul / 'fauler / am 'faulsten → fleißig
der / die Faule /n **10**, 59   [**20**, 110
das 'Fechten **9**, 57
'fehlen, 'fehlte, hat ge'fehlt **8**, 50
Was fehlt denn? **8**, 50
Was fehlt Ihnen? **17**, 96
'feiern, 'feierte, hat ge'feiert **19**, 104
Das müssen wir feiern. **19**, 104
das 'Felsenriff /e **15**, 84
das 'Fenster /- **13**, 72
Haben Sie einen Tisch am Fenster?
13, 72
die 'Ferien *(Plural)* **17**, 92
Gut, daß keine Ferien sind! **17**, 92
das 'Ferngespräch /e **7**, 44
'fertig **5**, 33
Schreiben Sie die Briefe fertig! **6**, 34
Sind Sie schon fertig? **12**, 66
Ja, ich bin fertig. **12**, 66
das Fest /e **12**, 71
Oktoberfest **12**, 71
Volksfest **12**, 71
Winzerfest **12**, 71
Erntefest **12**, 71
Schützenfest **12**, 71
Trachtenfest **12**, 71
'fest|stellen, 'stellte ... fest, hat 'fest-
gestellt **15**, 85

Er kann nicht feststellen, ... **17**, 92
Das Institut für Demoskopie stellte
fest: ... **15**, 85
der 'Film /e **7**, 41
Er möchte den Film auch sehen. **7**, 41
der Farbfilm
der 'Filter /- **3**, 20
HB Filter, bitte. **3**, 20
die Filterzigarette
'finden, fand, hat ge'funden 2, 17
Wie finden Sie mein Auto? **2**, 17
Ich habe keinen Parkplatz gefunden.
die 'Firma /en **2**, 14   [**16**, 86
Hier Firma Hartmann. **2**, 14
Sie will in der Firma bleiben. **19**, 105
der Fisch /e **3**, 25
das Fleisch **3**, 25
'fleißig / 'fleißiger / am 'fleißigsten →
faul **10**, 59
'fliegen, flog, ist ge'flogen 1, 8
Ich fliege heute nach Hamburg. **1**, 8
Wohin fliegen Sie? **1**, 9
'fließen, floß, ist ge'flossen **15**, 84
der Fluß /üsse **16**, 91
'folgen, 'folgte, ist (hat) ge'folgt **15**, 85
das 'Foto /s **9**, 54
der 'Fotoapparat /e **9**, 52
die 'Frage /n **1**, 12
'fragen, 'fragte, hat ge'fragt **1**, 11
Sie fragen, und wir antworten. **1**, 11
Darf ich Sie was fragen? **7**, 41
Sie fragt Dr. Wagner, was sie tun
muß. **17**, 93
Darf ich fragen, warum? **18**, 98
die Frau /en **2**, 14
Frau Hartmann **2**, 14
Kennen Sie seine Frau? **19**, 108

136

das 'Fräulein **2,** 14
Fräulein Klein **2,** 14
Sie begrüßen Fräulein K. **19,** 104
Fräulein! *(im Restaurant)*
frei → besetzt **4,** 26
Haben Sie ein Zimmer frei? **4,** 26
Sie hat heute frei. **4,** 27
Wo ist ein Tisch frei? **13,** 73
An dem Tisch sind zwei Plätze frei.
13, 73
(sich) freuen, 'freute sich, hat sich
ge'freut **9,** 52
Das freut ihn bestimmt. **9,** 52
Er freut sich. **9,** 55
'freundlich / 'freundlicher / am 'freund-
lichsten **16,** 89
Sind Sie so freundlich? **16,** 89
Das wäre sehr freundlich. **18,** 102
frisch / 'frischer / am 'frischesten
20, 110
froh / 'froher / am 'frohesten → trau-
rig **19,** 104
Da bin ich aber froh. **19,** 104
früh / 'früher / am 'frühesten → spät
4, 29
Früher war er arm. **4,** 29
Ist es früh genug, wenn Sie den Wagen um 11 Uhr haben? **8,** 47
das 'Frühstück 6, 38
Zimmer mit Frühstück **6,** 38
'frühstücken, 'frühstückte, hat ge'früh-
stückt **20,** 110
'fühlen, 'fühlte, hat ge'fühlt **10,** 59
'führen, 'führte, hat ge'führt **14,** 83
'funkeln, 'funkelte, hat ge'funkelt **15,** 84
funktio'nieren, 'funktio'nierte, hat
funktio'niert **9,** 52

Wie funktioniert denn der Apparat?
9, 52
für *Präposition m. Akk.* **5,** 32
Ich danke Ihnen für die Einladung,
aber für mich ist es leider Zeit. **11,** 60
der Fuß /ü-e **11,** 63
Ich gehe lieber zu Fuß. **11,** 63
Er hat sich den Fuß verletzt. **17,** 92
der 'Fußball **9,** 57

G

die 'Gabel /n **20,** 110
die Gans /ä-e **20,** 110
ganz 18, 98
Ich sage es ganz offen ... **18,** 98
gar 14, 81
Ich will es auch gar nicht verkaufen.
14, 81
der 'Garten /ä **13,** 75
Das ist ein schönes Haus und ein
schöner Garten. **14,** 81
der Gast /ä-e **19,** 104
Herr und Frau H. haben Gäste.
19, 104
das 'Gasthaus /äu-er **13,** 73
Sie gehen in ein Gasthaus. **13,** 73
das Ge'bäck **20,** 110
ge'backen **20,** 110
'geben (gibt), gab, hat ge'geben 3,
20
Wo gibt es hier Briefmarken? **3,** 20
Gibst du ihm die Kamera? **9,** 52
Es gab aber weit und breit keinen
Parkplatz. **16,** 86
das Ge'birge **16,** 91
ge'braten **20,** 110

der Ge'burtstag /e **9,** 52

Er hat heute Geburtstag. **9,** 52

**ge'fallen (ge'fällt), ge'fiel, hat ge-
'fallen 9,** 52

Wie gefällt dir die Kamera? **9,** 52

Wie gefällt Ihnen der graue Rock?
14, 78

'gehen, ging, ist ge'gangen 1, 8

Wie geht es Ihnen? **1,** 8

Wohin gehen sie? **1,** 9

Gehen Sie erst rechts, dann links.
3, 20

Sie wollen über die Straße gehen.
7, 41

Ich gehe lieber zu Fuß. **11,** 63

Die Sache geht ans Gericht. **16,** 86

Rufen Sie mich morgen an, wie es
ihm geht. **17,** 92

ge'hören, ge'hörte, hat ge'hört **9,** 52

Wem gehört die Kamera? **9,** 52

Das Haus gehört mir. **14,** 81

das Geld /er **4,** 27

Zeit ist Geld. **5,** 33

Geld müßte man haben. **14,** 81

ge'nau → ungefähr **10,** 59

Das steht Ihnen sehr gut und paßt
genau. **14,** 78

ge'nug 8, 46

Ist es früh genug, wenn Sie den Wagen um 11 Uhr haben? **8,** 46

ge'nügen, ge'nügte, hat genügt **8,** 46

Ja, das genügt. **8,** 46

das Ge'päck / Gepäckstücke **4,** 26

Haben Sie Gepäck? **4,** 26

ge'rade 12, 69

Ich bin gerade zurückgekommen.
12, 69

gerade'aus 3, 20

Gehen Sie erst rechts, dann links und
dann geradeaus. **3,** 20

das Ge'richt /e **16,** 86

Die Sache geht ans Gericht. **16,** 86

gern / **'lieber** / **am 'liebsten 2,** 14

Sehr gern! **2,** 14

Wenn ich helfen kann, gern. **8,** 46

Ich hätte gern einen Mercedes. **16,** 89

Ein Mann, den alle gern mögen.
19, 104

Ich würde am liebsten schwimmen.
19, 108

das Ge'samtnetz /e **8,** 51

das Ge'schmeide /- **15,** 84

das Ge'sicht /er **10,** 58

das Ge'spräch /e **6,** 37

'gestern 5, 32

das Ge'stirn /e **20,** 111

ge'streift 14, 78

... eine blaue und eine gestreifte
Bluse. **14,** 78

ge'sund / **ge'sünder** / **am ge'sünde-
sten** → krank **17,** 92

Der Arzt will sehen, daß Stefan bald
wieder gesund wird. **17,** 93

ge'waltig / **ge'waltiger** / **am ge'waltig-
sten 15,** 84

das Ge'witter /- **7,** 43

der 'Gipfel /- **15,** 84

'glauben, 'glaubte, hat ge'glaubt **6,** 37

Ich glaube ja, aber ich weiß es nicht.
6, 37

Ich glaube, ich habe alles. **12,** 66

gleich 6, 34

Bestellen Sie ihn bitte gleich! **6,** 34

Können wir gleich fahren? **11,** 60

Ich bin ja gleich wieder zurück. **16,** 86

das Glück 8, 46

Zum Glück nicht. **8,** 46

Ein Glück, daß der Knöchel nicht gebrochen ist. **17,** 92

Da kann er aber von Glück sagen, ...
18, 101

der 'Glückwunsch /ü-e **9,** 56

Herzlichen Glückwunsch! **9,** 56

das Gold **5,** 33

golden **15,** 84

Gott 10, 58

Gott sei Dank! **18,** 102

'graben (gräbt), grub, hat ge'graben
20, 111

grad (s. gerade) **10,** 58

das Gramm **3,** 25

das Gras /ä-er **20,** 110

gratu'lieren, gratu'lierte, hat gratu'liert **9,** 52

Dann gratuliert ihm der Vater. **9,** 53

grau hellgrau/dunkelgrau **14,** 78

Wie gefällt Ihnen der graue Rock?
14, 78

groß / **'größer** / **am 'größten**
→ klein **7,** 45

Der Garten ist groß, aber ein großer Garten macht auch viel Arbeit. **14,** 81

die größten Städte in Deutschland
7, 45

die 'Grube /n **20,** 111

grün hellgrün / dunkelgrün **7,** 41

Die Ampel ist grün. **7,** 41

der Gruß /ü-e **5,** 32

'grüßen, 'grüßte, hat ge'grüßt **2,** 14

Grüßen Sie bitte Direktor H. und seine Frau. **2,** 14

gut / **'besser** / **am 'besten** → schlecht
1, 8

Guten Tag! **1,** 8

Guten Morgen! **2,** 14

Guten Abend! **4,** 26

Gute Nacht!

Das paßt gut. **7,** 40

Das steht Ihnen sehr gut. **14,** 78

Gut, daß keine Ferien sind. **17,** 92

Ich suche eine bessere Stelle. **18,** 98

Besten Dank! **8,** 46

Wer zuletzt lacht, lacht am besten.
20, 111

das Gymnasium /sien **13,** 77

H

das Haar /e **15,** 84

'haben (hat), 'hatte, hat ge'habt
4, 26

Habe ich Post? **4,** 27

Ja, Sie haben zwei Briefe. **4,** 27

Sie hat heute frei. **4,** 27

Er hat alles. **4,** 29

Ich habe nichts zu tun. **19,** 107

Meine Frau hatte einen Unfall. **8,** 46

Er hatte Pech. **16.** 87

Haben Sie noch keinen Urlaub gehabt? **12,** 69

Ich hätte gern einen Mercedes. **16,** 89

der 'Hafen /ä **11,** 65

die 'Hafenstadt /ä-e **14,** 83

'hageln, 'hagelte, hat ge'hagelt **7,** 44

halb 3, 23

halb acht **3,** 23

Wir haben eine halbe Stunde Zeit.
7, 40

hallo *Interjektion* **6,** 38
Hallo, Taxi! **6,** 38
Hallo, Fräulein Klein! **7,** 40
halt 13, 75
Jung sollte man halt bleiben. **17,** 95
'halten (hält), hielt, hat ge'halten
17, 92
Sorgen Sie dafür, daß er das Bein
ruhig hält. **17,** 92
Halt! (Stop!)
der 'Hammel /- **20,** 110
das 'Hammerwerfen **9,** 57
die Hand /ä-e **20,** 111
das 'Handelsschiff /e **14,** 83
'hängen (hängt), hing, hat ge'han-
gen 13, 74
hart / 'härter / am härtesten → weich
5, 33
der 'Hauptbahnhof /ö-e **6,** 38
das Haus /äu-er **1,** 8
Er hat ein Haus. **4,** 29
Das Haus gehört mir. **14,** 81
Ich fahre nach Haus. **1,** 8
Ich bleibe zu Haus. **8,** 47
der 'Hausschlüssel /- **12,** 66
'heiraten, 'heiratete, hat ge'heiratet
19, 104
Sie heiratet einen Mann, der sie liebt.
19, 105
'heißen, hieß, hat ge'heißen **6,** 39
'helfen (hilft), half, hat ge'holfen
8, 46
Wenn ich helfen kann, gern. **8,** 46
Ich helfe Ihnen. **13,** 75
her → hin **13,** 75
Warum gehen Sie immer hin und her?
13, 75

he'rein|holen, 'holte ... he'rein, hat
he'reingeholt **13,** 75
Dann muß ich sie wieder hereinholen. **13,** 75
der Herr /en **1,** 8
Herr Hartmann **1,** 8
Kennen Sie den Herrn dort? **6,** 37
Herr und Frau H. haben Gäste.
'herrlich **20,** 110 [**19,** 104
he'rum|laufen (läuft ... he'rum), lief
... he'rum, ist he'rumgelaufen **20,** 110
'herzlich / 'herzlicher / am 'herzlich-
sten **5,** 32
Herzliche Grüße! **5,** 32
Herzlichen Glückwunsch! **19,** 104
'heute 1, 8
Ich fliege heute nach Hamburg. **1,** 8
• Was haben Sie heute abend vor? **7,** 40
hier → dort **2,** 14
Hier Firma H. **2,** 14
• Wo gibt es hier Briefmarken? **3,** 20
Ihre Papiere sind hier. **6,** 34
Wem gehört denn das Haus hier?
'hierher **13,** 75 [**14,** 81
die 'Hilfe 8, 46
Ich brauche Ihre Hilfe. **8,** 46
Hilfe!
der Himmel **15,** 85
hin → her **13,** 75
Warum gehen Sie immer hin und her?
hi'nauf **13,** 75 [**13,** 75
Da komme ich nicht hinauf. **13,** 75
hi'naus **13,** 75
... hinaus in den Garten. **13,** 75
hi'nein **20,** 110
hi'nein|fallen (fällt ... hi'nein), fiel ...
hi'nein, ist hi'neingefallen **20,** 111

hi'nein|fliegen, flog ... hi'nein, ist
hi'neingeflogen **20**, 110
'hinter *Präposition m. Dat/Akk* → vor
20, 110
his'torisch **16**, 91
das Hobby /s **11**, 63
hoch / 'höher / am 'höchsten → tief
16, 91
der 'Hochofen /ö **6**, 39
die 'Hochschule /n **2**, 19
der 'Hochsprung **9**, 57
das 'Hockey **9**, 57
'hoffentlich 8, 46
Hoffentlich ist sie nicht verletzt. **8**, 46
'höflich / 'höflicher / am 'höflichsten
7, 42
die 'Höhe /n (poet. Höh') **15**, 84
'holen, 'holte, hat ge'holt **16**, 86
• Ich wollte mir schnell Zigaretten
holen. **16**, 86
'hören, 'hörte, hat ge'hört **1**, 11
Wir hören und wiederholen. **1**, 11
• Stimmt das, was ich gehört habe?
das Ho'tel /s **4**, 26   [**19**, 104
im Hotel **4**, 26
hübsch / 'hübscher / am 'hübschesten
2, 15
Sie ist jung und hübsch. **2**, 15
Die Blusen sind sehr hübsch. **14**, 79
das Huhn /ü-er **20**, 110
hu'morvoll **15**, 85

I

'immer → nie(mals) **4**, 30
Meine Beine werden immer schwerer.
17, 95

in *Präposition m. Dat/Akk* **1**, 8
Wohnen Sie in München? **1**, 8
Sie ist in Berlin. **2**, 15
Ich will ins Kino gehen. **7**, 40
... in vier Wochen. **8**, 46
• ... in den letzten Tagen. **14**, 78
Er war mit dem Auto in der Stadt.
16, 87
im Hotel **4**, 26
› Waren Sie schon im Urlaub? **12**, 69
Er meldet sich im Büro an. **18**, 98
in der Nacht; im Januar
die Indu'strie /n **6**, 39
Elektroindustrie **6**, 39
Autoindustrie **6**, 39
der Inge'nieur /e **2**, 14
Ingenieur Weber **2**, 14
die Inge'nieurschule /n **13**, 77
insge'samt **4**, 31
das Insti'tut /e **15**, 85
'irren, 'irrte, hat ge'irrt **5**, 33

J

ja → nein **1**, 8
Kommen Sie aus Berlin?
Ja, ich komme aus Berlin. **1**, 8
Ich glaube ja. **6**, 37
Da kommt er ja. **9**, 52
Ich kann ja mit dem Bus zurückfahren.
11, 60
das Jahr /e **4**, 31
'jährig **15**, 85
'jede/r/s 14, 83
jedes Jahr **14**, 83
auf jeden Fall **17**, 96
Vor jedem Haus ist ein Zaun. **20**, 110

klug / 'klüger / am 'klügsten **15**, 85

der '**Knöchel** /- **17**, 92

Ein Glück, daß der Knöchel nicht gebrochen ist. **17**, 92

der '**Koffer** /- **4**, 26

Sie hat die Koffer gepackt. **12**, 67

der **Kol'lege** /n **13**, 72

Er wartet auf einen Kollegen. **13**, 73

'**kommen, kam, ist ge'kommen 1**, 8

Woher kommen Sie? **1**, 9

◄ Ich komme auch aus Berlin. **1**, 9

◄ Wann kommt hier ein Bus? **3**, 23

Sie kommt um 5 Uhr aus dem Unterricht. **11**, 60

das **Kompli'ment** /e **19**, 104

Vielen Dank für das Kompliment.
19, 104

'**können (kann), 'konnte, hat ge-
'konnt 7**, 40

Sie können im Café telefonieren. **7**, 40

Ja, das kann ich tun. **7**, 40

❯ Kann ich mitfahren? **11**, 60

Sie können am Montag anfangen.
18, 98

Auf die Terrasse können Sie leider
nicht. **13**, 72

Ich könnte zur Arbeit fahren. **16**, 89

die '**Kopfschmerzen** *(Plural)* **17**, 95

▸ Meine Kopfschmerzen sind vorbei.
17, 95

'**kosten,** 'kostete, hat ge'kostet **3**, 20

Wieviel kostet eine Karte? **3**, 20

Zehn Zigaretten kosten eine Mark.

der '**Kraftfahrer** /- **18**, 102   [**3**, 21

krank → gesund **8**, 48

Bei Ihnen ist doch ein Fahrer krank
geworden. **18**, 98

das '**Krankenhaus** /äu-er **18**, 101

◄ Sie haben ihn ins Krankenhaus gebracht. **18**, 101

das Kraut /äu-er **10**, 58

der '**Kuchen 20**, 110

der '**Pfannkuchen 20**, 110

der '**Lebkuchen 20**, 110

das '**Kugelstoßen 9**, 57

kühl / 'kühler / am 'kühlsten **15**, 84

kurz / 'kürzer / am 'kürzesten
→ lang **14**, 80

Lügen haben kurze Beine. **15**, 85

L

'lachen, 'lachte, hat ge'lacht **20**, 111

der '**Laden** /ä **18**, 99

◄ Die Läden werden um 8 Uhr geöffnet.
18, 99

das Land /ä-er **11**, 65

lang / 'länger / am 'längsten → kurz
3, 23

Das dauert aber noch lange. **3**, 23

'**langsam** / 'langsamer / am 'langsam-
sten → schnell **2**, 17

Fahren Sie langsam. **2**, 17

'**lassen (läßt), ließ, hat ge'lassen**
19, 105

◢ Sie will ihren Chef nicht im Stich
lassen. **19**, 105

der '**Last(kraft)wagen (LKW)** /- **4**, 31

'laufen (läuft), lief, ist ge'laufen **9**, 57

'**leben,** 'lebte, hat ge'lebt **18**, 101

Er kann von Glück sagen, daß er
noch lebt. **18**, 101

Lebewohl! **10**, 58

(sich) '**legen,** 'legte, hat ge'legt **20**, 110

leicht / 'leichter / am 'leichtesten
17, 95

die 'Leichtathletik **9**, 57

das Leid **10**, 58

leid 16, 86

Es tut mir leid. **16**, 86

das 'Leiden /- **20**, 111

die 'Leidenschaft /en **20**, 111

'leider 2, 14

Er hat leider keine Zeit. **4**, 27

Der Motor ist leider kaputt. **8**, 46

der 'Leihwagen /- 8, 46

Schicken Sie morgen einen Leihwagen.
8, 46

'lernen, 'lernte, hat ge'lernt **1**, 11

Wir lernen Deutsch. **1**, 11

'lesen (liest), las, hat ge'lesen 1, 11

Ich nehme die Briefe mit und lese sie
zu Haus. **6**, 34

der / die / das 'letzte → erste
14, 78

in den letzten Tagen **14**, 78

die 'Leute *(Plural)* **6**, 37

Ihre Leute werden gut bezahlt. **18**, 98

das Licht /er **10**, 59

lieb / 'lieber / am 'liebsten **5**, 32

'lieben, 'liebte, hat ge'liebt **9**, 55

Ich liebe dich. **9**, 55

... ein Mann, der Sie liebt **19**, 104

'lieber (s. gern) **3**, 23

Ich gehe lieber zu Fuß. **11**, 63

das Lied /er **15**, 84

'liegen, lag, hat ge'legen 13, 74

Das Buch liegt auf dem Tisch. **13**, 74

Muß ich liegen, Herr Doktor? **17**, 92

der Lift /e **14**, 82

Kann ich mit dem Lift fahren? **14**, 82

links → rechts **3**, 20

Gehen Sie erst rechts, dann links.
3, 20

der / das 'Liter /- **8**, 50

'loben 'lobte, hat ge'lobt **15**, 85

Man soll den Tag nicht vor dem
Abend loben. **15**, 85

Ihre Firma wird allgemein gelobt.
18, 98

der 'Löffel /- **13**, 75 (**10**, 59)

das 'Lohnbüro /s **18**, 98

los 19, 107

Was ist denn mit Ihnen los? **19**, 107

die 'Lottozahl /en **16**, 89

die Luft /ü-e **15**, 84

die 'Lüge /n **15**, 85

die Lust /ü-e **19**, 107

Ich habe keine Lust. **19**, 107

M

'machen, 'machte, hat ge'macht **1**, 8

Was machen Sie? **1**, 8

Wir machen eine Fahrt. **2**, 17

Was machen Sie denn mit dem Wagen?
11, 63

Das macht zusammen 4 Mark 50.
3, 20

Ein großer Garten macht viel Arbeit.
14, 81

Das macht doch nichts. **16**, 86

Sie hat Ordnung gemacht. **12**, 67

das 'Mädchen /- **4**, 27

(ein)mal 14, 78

Kann ich die mal anziehen? **14**, 78

... mal kalt, mal braun gebraten.
20, 110

man *unpersönl. Pronomen* **11**, 63
  Geld müßte man haben. **16**, 89
der Mann /ä-er **15**, 85
  Sie heiratet einen Mann, der sie liebt.
  19, 105
der 'Mantel /ä **12**, 66
  Sie zieht ihren Mantel an. **12**, 67
das 'Märchen /- **15**, 84
die Mark *(Singular)* **3**, 20
  Das macht zusammen 4 Mark 50.
  3, 20
  Sie müssen fünf Mark zahlen. **16**, 86
mar'schieren, mar'schierte, ist mar-
  'schiert **10**, 58
die Ma'schine /n **6**, 39
  die Ma'schinenfabrik **6**, 39
der Me'chaniker /- **8**, 50
die Medi'zin **2**, 19
mehr 8, 47
  Wenn es nicht mehr regnet. **8**, 47
  Damit kann man doch nicht mehr
  fahren. **11**, 63
die 'Meile /n **20**, 110
mein /e *Pronomen* **1**, 8
  Das ist mein Auto. **2**, 17
  Guten Abend, mein Herr! **4**, 26
  Meine Frau hatte einen Unfall. **8**, 46
'meinen, 'meinte, hat ge'meint **7**, 43
  Was meinen Sie? **7**, 43
  Stefan meint, es ist gut, daß keine
  Ferien sind. **17**, 93
der 'Meister /- **10**, 58
die 'Meist'rin = Meisterin /nnen
  10, 58
die Melo'die /n (poet. Melodei) **15**, 84
'menschlich **5**, 33
'merkwürdig **20**, 110

das 'Messer /- **20**, 110
das 'Meter /- **16**, 91
die Milch 11, 61
  Sie trinkt den Kaffee mit Milch. **11**, 61
'mindestens **17**, 92
  eine Woche mindestens **17**, 92
die Mi'nute /n **3**, 23
  20 Minuten vor eins **3**, 23
mit *Präposition m. Dativ* → ohne **1**, 10
  Ein Zimmer mit Bad **4**, 26
  Sie fahren mit dem Wagen. **11**, 61
  Sie trinkt den Kaffee mit Milch und
  Zucker. **11**, 61
  Er war mit dem Auto in der Stadt.
  16, 87
  Was ist denn mit Ihnen los? **19**, 107
'mit|bringen, 'brachte ... mit, hat
  'mitgebracht **6**, 34
  Ich bringe viel Arbeit mit. **6**, 34
'mit|fahren (fährt ... mit), fuhr ...
  mit, ist 'mitgefahren **7**, 43
  Wollen Sie mitfahren? **7**, 43
'mit|gehen, ging ... mit, ist 'mitge-
  gangen **7**, 43
'mit|nehmen (nimmt ... mit), nahm
  ... mit, hat 'mitgenommen **6**, 34
  Er nimmt die Briefe mit. **6**, 35
  Kann ich Sie mitnehmen? **11**, 64
das Mo'dell /e **9**, 57
mo'dern / mo'derner / am mo'dern-
  sten **13**, 77
  Die Sachen sind modern. **14**, 79
  Ich suche etwas Modernes. **14**, 78
'mögen (mag), 'mochte, hat ge-
  'mocht **3**, 20
  Konjunktiv: ich möchte (will)
  Möchten Sie noch etwas? **3**, 20

Er möchte den Film auch sehen. **7,** 41

An die Tür möchte ich mich nicht setzen. **13,** 72

Ich möchte gern ein Kleid. **14,** 78

Er möchte bei der Firma H. arbeiten.

'möglich 4, 26   [**18,** 98

Wenn möglich, ein Zimmer mit Bad. **4,** 26

Reparieren Sie ihn, wenn es möglich ist. **8,** 46

der Mo'ment /e **7,** 44

Einen Moment bitte! **7,** 44

Moment! Ich zeige es dir. **9,** 52

der 'Morgen /- **2,** 14

Guten Morgen! **2,** 14

am Morgen

'morgen 1, 8

Morgen fliege ich zurück. **1,** 9

Rufen Sie mich morgen an, wie es ihm geht. **17,** 92

der 'Motor /-en **8,** 46

Der Motor ist leider kaputt. **8,** 46

der Mund /ü-er **10,** 59

'müssen (muß), 'mußte, hat ge-'mußt 6, 37

Sie müssen eine halbe Stunde warten. **7,** 41

Müssen Sie denn schon nach Haus? **11,** 60

Er mußte die fünf Mark zahlen. **16,** 87

Sagen Sie mir, was ich tun muß. **17,** 92

Geld müßte man haben ... **16,** 89

die 'Mutter /ü **7,** 41

Stefan dankt Vater und Mutter. **9,** 53

'Mutti (s. Mutter) **9,** 52

N

na *Interjektion* **6,** 37

Na ihn, den Herrn dort! **6,** 37

nach *Präposition m. Dativ* → vor **1,** 8

Ich fliege nach Hamburg. **1,** 8

Sie gehen nach Haus. **1,** 9

zehn nach eins **3,** 23

nach einer Stunde **11,** 60

nach dem Unfall **18,** 101

ganz nach Wunsch **20,** 110

'nachher 7, 44

Haben Sie nachher noch Zeit? **7,** 44

der / die / das nächste 16, 86

Er ging zum nächsten Polizisten. **16,** 86

Wo ist bitte der nächste? **16,** 90

die Nacht /ä-e **4,** 26

Gute Nacht!

nah / 'näher / am 'nächsten → weit **20,** 110

der 'Name /n **4,** 26

Wie ist Ihr Name bitte? **4,** 26

na'türlich 2, 17

Ja, natürlich! **4,** 26

der 'Nebenfluß /üsse **16,** 91

'nehmen (nimmt), nahm, hat ge-'nommen 3, 23

Dann nehme ich lieber ein Taxi. **3,** 23

Er nimmt die Briefe. **6,** 35

Wir nehmen den Tisch in der Ecke. **13,** 72

Haben Sie schon Tabletten genommen? **17,** 96

Nehmen Sie bitte Platz! **18,** 98

nein → ja **1,** 8

Wohnen Sie in München?

Nein, ich wohne jetzt in Köln. **1,** 9

Nein, nein! Wir haben schon darüber gesprochen. **19**, 104

nett / 'netter / am 'nettesten **12**, 66

Das ist nett von Ihnen. **12**, 66

neu / 'neuer / am 'neuesten → alt **2**, 17

Wann bekomme ich einen neuen Wagen? **8**, 46

Die Röcke sind neu. **14**, 79

eine neue Stelle **18**, 98

'neugierig / 'neugieriger / am 'neugierigsten **19**, 108

'neulich 18, 101

Er wurde neulich von einem Auto angefahren. **18**, 101

nicht 1, 8

Er ist nicht hier. **2**, 14

Ich kenne ihn nicht. **6**, 37

Ich weiß es nicht. **6**, 37

Wissen Sie nicht, daß er operiert wurde? **18**, 101

Können Sie denn nicht arbeiten? **19**, 107

Noch nicht! **14**, 78

nichts → alles **4**, 29

Was zahlen Sie denn dafür? – Nichts! **11**, 63

Haben Sie auch nichts vergessen? **12**, 66

Das macht doch nichts. **16**, 86

Das macht mir nichts aus. **18**, 98

Ich habe nichts zu tun. **19**, 107

Nichts zu machen! **19**, 107

nie(mals) → immer **10**, 59

noch 3, 20

Möchten Sie noch etwas? **3**, 20

Das dauert aber noch lange. **3**, 23

Wir haben noch ein Einzelzimmer. **4**, 27

Ich muß noch einkaufen. **11**, 60

Am Eingang ist noch Platz. **13**, 72

noch nicht **14**, 78

Er kann von Glück sagen, daß er noch lebt. **18**, 101

die 'Nordsee **14**, 83

die 'Nummer /n **7**, 44

Wie ist die Nummer bitte? **7**, 44

nur 4, 26

Er hat alles – nur leider keine Zeit! **4**, 29

Ich muß nur noch die Fahrkarte kaufen. **12**, 66

Mein Wagen stand aber nur ein paar Minuten da. **16**, 86

die Nuß /üsse **20**, 110

O

ob *Konjunktion* **17**, 92

Er kann aber nicht feststellen, ob der Fuß gebrochen ist oder nicht. **17**, 92

'oben 15, 84

der 'Ober /- **13**, 72

Herr Ober, haben Sie zwei Plätze frei? **13**, 72

die 'Oberfläche /n **20**, 110

'oder *Konjunktion* **8**, 49

Ans Fenster oder in die Ecke oder auf die Terrasse? **13**, 73

Ich möchte gern ein Kleid oder Rock und Bluse. **14**, 78

Es tut mir leid, aber entweder zahlen Sie, oder die Sache geht ans Gericht. **16**, 86 'offen 18, 98

Ich sage es ganz offen, ... 18, 98

'öffnen, 'öffnete, hat ge'öffnet → schließen 18, 99

Die Läden werden um 8 Uhr geöffnet. 18, 99

oh *Interjektion* 2, 17

Oh, sehr schön ... 2, 17

'ohne *Präposition m. Akk* → mit 8, 46

Was machen Sie so lange ohne Wagen?
8, 46

Sie trinkt den Kaffee ohne Zucker.

die Olympi'ade 9, 57   [11, 61

o'lympisch 9, 57

ope'rieren, ope'rierte, hat ope'riert
18, 101

Warum ist er denn operiert worden?
18, 101

die 'Ordnung /en 12, 66

Sie hat die Koffer gepackt und Ordnung gemacht. 12, 67

'ordnungsliebend 15, 85

P

paar 14, 78

Können Sie mir ein paar Blusen zeigen? 14, 78

Mein Wagen stand aber nur ein paar
Minuten da. 16, 86

'packen, 'packte, hat ge'packt 12, 66

Sie hat die Koffer gepackt. 12, 67

die 'Panne /n 8, 50

Ich habe eine Panne. 8, 50

das Pa'pier /e 6, 34

Geben Sie Ihre Papiere im Lohnbüro
ab. 18, 98

'parken, 'parkte, hat ge'parkt 16, 86

Sie haben leider falsch geparkt. 16, 86

der 'Parkplatz /ä-e 16, 86

Es gab weit und breit keinen Parkplatz. 16, 86

das Parla'ment /e 19, 109

die Par'tei /en 19, 109

die 'Partnerin /nnen 15, 85

der Paß /ässe 6, 34

Haben Sie meinen Paß und das Visum? 6, 34

das Passa'gierschiff /e 14, 83

'passen, 'paßte, hat ge'paßt 7, 40

Das paßt gut. 7, 40

Das steht Ihnen sehr gut und paßt
genau. 14, 78

pas'sieren, pas'sierte, ist pas'siert
17, 96

Was ist denn Herrn Müller passiert?
18, 101

das Pech 16, 86

Er hatte Pech. 16, 87

die Per'son /en 13, 76

Für wieviel Personen? 13, 76

der Per'sonen(kraft)wagen (PKW) /-
4, 31

der 'Pfennig /e 3, 20

fünfzig Pfennig 3, 20

'pflastern, 'pflasterte, hat ge'pflastert
20, 110

das Pfund /e 3, 25

die Philoso'phie /n 2, 19

die Phy'sik 2, 19

'planen, 'plante, hat ge'plant 8, 51

der Platz /ä-e 12, 66

Ich habe schon einen Platz bestellt.
12, 66

Haben Sie zwei Plätze frei? **13**, 72

Am Eingang ist noch Platz. **13**, 72

Nehmen Sie bitte Platz! **18**, 98

die 'Platzkarte /n **12**, 67

Er bestellt eine Platzkarte. **12**, 67

der Poli'zist /en **16**, 86

Der Polizist konnte ihm nicht helfen.

der Por'tier /s **4**, 26   [**16**, 87

die Post 4, 27

Habe ich Post? **4**, 27

das 'Postamt /ä-er **3**, 20

Briefmarken bekommen Sie im Post-

amt. **3**, 20

die 'Postinspektorin /nnen **13**, 77

die 'Postkarte /n **3**, 21

das 'Praktikum /ka **13**, 77

der Preis /e **3**, 25

die 'Preislage /n **9**, 56

In welcher Preislage? **9**, 56

'preiswert → teuer **14**, 78

Die Sachen sind sehr preiswert.

'prima 9, 52   [**14**, 79

Mir geht es prima. **9**, 53

pro'bieren, pro'bierte, hat pro'biert

das Pro'dukt /e **6**, 39   [**10**, 58

die Produktion /en **4**, 31

produ'zieren, produ'zierte, hat produ-

'ziert **4**, 31

'Prosit! 19, 104

Prosit! Auf Ihr Wohl! **19**, 104

das Pro'zent /e **15**, 85

'pünktlich **15**, 85

Q

die 'Quittung /en **16**, 86

Hier ist Ihre Quittung. **16**, 86

R

der Rat / Ratschläge **5**, 33

'rauchen, 'rauchte, hat ge'raucht

19, 107

Ich habe nichts zu rauchen. **19**, 107

die Re'alschule /n **13**, 77

recht 17, 92

Ist recht, Herr Doktor! **17**, 92

Da haben Sie recht. **17**, 95

rechts → links **3**, 20

Gehen Sie erst rechts! **3**, 20

'reden, 'redete, hat ge'redet **5**, 33

'regnen, 'regnete, hat ge'regnet **7**, 43

Es wird regnen. **7**, 43

wenn es nicht mehr regnet **8**, 47

reich / 'reicher / am 'reichsten → arm

Früher war er arm;   [**4**, 29

jetzt ist er reich. **4**, 29

rein / 'reiner / am 'reinsten **20**, 110

der Reis **3**, 25

die 'Reise /n **6**, 34

eine Reise **12**, 66

Wie war die Reise? **6**, 34

das 'Reiten **9**, 57

die Repara'tur /en **14**, 82

Ich habe eine Reparatur. **14**, 82

die Reparaturannahme **14**, 82

repa'rieren, repa'rierte, hat repa'riert

8, 46

Reparieren Sie den Wagen, wenn es

möglich ist. **8**, 46

reser'vieren, reser'vierte, hat reser-

'viert **13**, 76

Reserviert! **13**, 76

das Restau'rant /s **13**, 72

im Restaurant **13**, 72

das Re'zept /e **17**, 96
Ich schreibe Ihnen ein Rezept. **17**, 96
'richtig → falsch **13**, 75
Das ist richtig. **18**, 98
der Ring /e **20**, 110
das 'Ringen **9**, 57
der Rock /ö-e **14**, 78
Ich möchte Rock und Bluse. **14**, 78
'röntgen, 'röntgte, hat ge'röntgt **17**, 93
Der Doktor hat den Fuß geröntgt.
17, 93
rot / 'röter / am 'rötesten **14**, 80
Die Bluse ist rot. **14**, 80
der 'Rücken /- **20**, 110
das 'Rudern **9**, 57
'ruhen, 'ruhte, hat ge'ruht **20**, 111
'ruhig / 'ruhiger / am 'ruhigsten
14, 81
Das ist eine ruhige Straße. **14**, 81
Sorgen Sie dafür, daß er das Bein
ruhig hält. **17**, 92

S

die 'Sache /n **14**, 79
Die Sachen sind modern. **14**, 79
Die Sache geht ans Gericht. **16**, 86
'sagen, 'sagte, hat ge'sagt **6**, 34
Sagen Sie, ich erwarte ihn um fünf.
6, 34
Ich sage es ganz offen, ... **18**, 98
der Satz /ä-e **11**, 63
'sauber / 'sauberer / am 'saubersten
die 'Sauberkeit **15**, 85   [**15**, 85
'schade **11**, 64
'schaffen, 'schaffte, hat ge'schafft
20, 111

'schauen, 'schaute, hat ge'schaut
15, 84
'scheiden, schied, ist ge'schieden
20, 111
'schenken, 'schenkte, hat ge'schenkt
9, 52
Wir schenken dir den Fotoapparat.
9, 52
schick / 'schicker / am 'schicksten
14, 78
Das ist sehr schick. **14**, 78
'schicken, 'schickte, hat ge'schickt
8, 46
Schicken Sie mir morgen einen Leihwagen. **8**, 46
das 'Schießen **9**, 57
das Schiff /e **15**, 84
der 'Schiffer /- **15**, 84
. die 'Schiffslinie /n **14**, 83
der 'Schinken /- **20**, 110
'schlagen (schlägt), schlug, hat ge'schlagen **10**, 58
das Schla'raffenland **20**, 110
schlecht / 'schlechter / am 'schlech-
testen → gut **10**, 59
'schließen, schloß, hat ge'schlossen → öffnen **13**, 72
Die Läden werden um 18 Uhr geschlossen. **18**, 99
'schließlich **10**, 59
der Schluß /üsse **10**, 58
der 'Schlüssel /- **19**, 106
'schmecken, 'schmeckte, hat ge-
'schmeckt **10**, 58
der Schmerz /en **10**, 59
Haben Sie Schmerzen? **17**, 96
der Schnee **20**, 111

'schneien, 'schneite, hat ge'schneit
7, 43

Es kann auch schon schneien. 7, 43

schnell / 'schneller / am 'schnellsten
→ langsam 2, 17

Mit dem Wagen sind Sie ja schnell zu Haus. 11, 60

Ich wollte mir schnell Zigaretten holen. 16, 86

der Schoko'ladenpudding /s (e) 10, 59

schon 7, 43

Das habe ich schon getan. 12, 66

Waren Sie schon im Urlaub? 12, 69

Er konnte schon wieder entlassen werden. 18, 101

schön / 'schöner / am 'schönsten

Sehr schön! 2, 17   [2, 17

Es war sehr schön bei Ihnen. 11, 60

Schönen Dank. 12, 70

Das ist ein schönes Haus. 14, 81

die 'Schönheit /en 20, 111

der Schrank /ä-e 13, 75

'schreiben, schrieb, hat ge'schrieben 1, 11

Schreiben Sie die Briefe fertig. 6, 34

die 'Schule /n 11, 60

Sie holt ihre Tochter von der Schule ab. 11, 61

schwarz / 'schwärzer / am 'schwärzesten 14, 82

Hier haben wir etwas in Schwarz. 14, 82

'schweigen, schwieg, hat ge'schwiegen 5, 33

das Schwein /e 20, 110

schwer / 'schwerer / am 'schwersten
→ leicht 5, 33

Aller Anfang ist schwer. 5, 33

Er wurde schwer verletzt. 18, 101

die 'Schwester /n 11, 62

'schwimmen, schwamm, ist ge'schwommen 9, 57

Ich würde am liebsten schwimmen. 19, 108

(sich) 'sehen (sieht), sah, hat ge'sehen 7, 41

Sie sieht in den Spiegel. 12, 66

Sie sehen sich ... 9, 55

Wir werden sehen, daß du bald wieder gesund wirst. 17, 92

die 'Sehenswürdigkeit /en 11, 65

sehr 2, 14

Sehr gern! 2, 14

Sehr schön! 2, 17

Das ist sehr viel. 3, 21

Bitte sehr! 16, 86

sein (ist), war, ist ge'wesen 2, 14

Was ist das? 2, 14

Er ist verreist. 2, 14

Jetzt ist es 12 Uhr 40. 3, 23

Was darf es sein? 14, 78

Früher war er arm. 4, 29

Es war sehr schön bei Ihnen. 11, 60

Er war mit dem Auto in der Stadt. 16, 87

Wo sind Sie denn gewesen? 12, 69

Das wär' das beste. 17, 95

seit Präposition m. Dativ 17, 96

Seit wann haben Sie die Schmerzen? 17, 96

die Sekre'tärin /nnen 2, 14

Die Sekretärin schreibt den Brief. 6, 35

(sich) selbst 10, 59

der/die 'Selbständige /n **15**, 85
'selbstlos **15**, 85
'selbstverständlich 11, 60
das Se'mester /- **13**, 77
(sich) **'setzen,** 'setzte, hat ge'setzt
    Sie setzen sich. **9**, 55   [**9**, 55
sich *Reflexivpronomen* **9**, 55
    Er freut sich. **9**, 55
    Sie treffen sich. **9**, 55
    Er hat sich den Fuß verletzt. **17**, 93
'sicher / 'sicherer / am 'sichersten
    2, 17
    Sie bekommen sicher noch Geld da-
    für. **11**, 63
das 'Silber **5**, 33
'singen, sang, hat ge'sungen **15**, 84
der Sinn /e **10**, 58
'sitzen, saß, hat ge'sessen 13, 72
    An dem Tisch sitzt schon jemand.
das 'Skilaufen **9**, 57   [**13**, 72
so 7, 43
    So kalt ist es nicht. **7**, 43
    Wenn das so ist, kann ich Ihnen
    auch nicht helfen. **19**, 107
so'fort 6, 34
    Ich rufe sofort an. **6**, 34
    Sie haben ihn sofort ins Krankenhaus
    gebracht. **18**, 101
'sollen, 'sollte, hat ge'sollt **13**, 75
    Was soll ich machen? **19**, 107
    Jung sollte man halt bleiben. **17**, 95
der **'Sommer** /- **7**, 43
    Der Sommer ist vorbei. **7**, 43
'sondern 11, 60
    Ich fahre nicht nach Haus, sondern
    hole meine Tochter von der Schule
    ab. **11**, 60

sonst 4, 26
    Haben Sie sonst noch Wünsche?
    4, 26
die **'Sorge** /n **17**, 95
    Man hat auch mehr Sorgen. **17**, 95
'sorgen, 'sorgte, hat ge'sorgt **17**, 92
    Sorgen Sie dafür, ... **17**, 92
'sparsam / 'sparsamer / am 'sparsam-
    sten **15**, 85
die 'Sparsamkeit **15**, 85
der **Spaß** /ä-e **19**, 104
    ... die Arbeit, die ihr viel Spaß
    macht. **19**, 105
spät / 'später / am 'spätesten → früh
    3, 23
    Wie spät ist es jetzt bitte? **3**, 23
der Spatz /en **20**, 111
spa'zierengehen, ging ... spa-
'zieren, ist spa'zierengegangen
der Speck **10**, 58   [**12**, 69
das 'Speerwerfen **9**, 57
die **'Speisekarte** /n **13**, 76
    Die Speisekarte bitte! **13**, 76
der **'Spiegel** /- **12**, 66
    Sie sieht in den Spiegel. **12**, 66
'spielen, 'spielte, hat ge'spielt **19**, 108
    Warum spielen Sie nicht Tennis?
    19, 108
der 'Spitzenwert /e **15**, 85
der **Sport**/Sportarten **9**, 57
    Treiben Sie Sport? **19**, 108
    Olympische Sportarten **9**, 57
die **'Sprache** /n **11**, 62
'sprechen (spricht), sprach, hat ge-
'sprochen 1, 11
    Wir haben schon darüber gespro-
    chen. **19**, 104

die 'Sprechstunde /n **17**, 96
in der Sprechstunde **17**, 96
das 'Sprichwort /ö-er **5**, 33
die Stadt /ä-e **7**, 45
Er war mit dem Auto in der Stadt.
16, 87
die 'Stadtmitte /n **11**, 60
Sie fährt zur Stadtmitte. **11**, 61
der Stand /ä-e **3**, 25
stark / 'stärker / am 'stärksten **20**, 110
die 'Stätte /n **16**, 91
'statt|finden, fand ... statt, hat 'statt-
gefunden **19**, 109
'stecken, 'steckte, hat ge'steckt **20**, 110
'stehen, stand, hat ge'standen 8, 50
Wo steht Ihr Wagen? **8**, 50
Das steht Ihnen sehr gut. **14**, 78
'stehenlassen (läßt ... 'stehen),
ließ ... 'stehen, hat 'stehengelas-
sen **16**, 86
Er ließ den Wagen vor einem Zigarettenladen stehen. **16**, 86
'steigen, stieg, ist ge'stiegen **12**, 69
Ich bin auf die Berge gestiegen. **12**, 69
die 'Stelle /n **15**, 85
eine neue Stelle **18**, 98
'stellen, 'stellte, hat ge'stellt **13**, 75
Soll ich die Blumen hierher oder dorthin stellen? **13**, 75
die 'Stellensuche **18**, 102
auf Stellensuche **18**, 102
der Stern /e **20**, 110
im Stich lassen **19**, 104
Sie will ihren Chef nicht im Stich
lassen. **19**, 105
'stimmen, 'stimmte, hat ge'stimmt
19, 104

Stimmt das, was ich gehört habe?
19, 104
der Stock/Stockwerke **14**, 82
im 1. Stock **14**, 82
der 'Strafzettel /- **16**, 86
Er fand am Wagen einen Strafzettel.
16, 86
die 'Straße /n **7**, 41
Sie überqueren die Straße. **7**, 41
eine ruhige Straße **14**, 81
die 'Straßenbahn /en **11**, 60
der 'Straßenrand /ä-er **16**, 87
(sich) 'streiten, stritt, hat ge'stritten
9, 55
Sie streiten sich. **9**, 55
der Strom /ö-e **20**, 110
das Stück /e **3**, 20
Das sind neun Stück. **3**, 20
Kann ich das Stück mitfahren?
11, 64
der Stu'dent /en **2**, 19
die Stu'dentin /nnen **2**, 19
stu'dieren, stu'dierte, hat stu'diert
2, 19
die 'Stunde /n **3**, 23
eine halbe Stunde **3**, 23
'suchen, 'suchte, hat ge'sucht **13**, 72
Er sucht einen Platz. **13**, 72
Ich suche Arbeit. **18**, 102
der 'Supermarkt /ä-e **3**, 25
süß / 'süßer / am 'süßesten **20**, 110

T

die Ta'blette /n **17**, 96
Haben Sie schon Tabletten genommen? **17**, 96

die Tür /en **13**, 72
An die Tür möchte ich mich nicht
setzen. **13**, 72
das 'Turnen 9, 57

U

'üben, 'übte, hat ge'übt **1**, 11
Wir üben viel. **1**, 11
'über *Präposition m. Dat/Akk* **7**, 41
über das Wetter **7**, 43
Sie wollen über die Straße gehen.
7, 41
über'all 18, 98
Arbeiten muß man überall. **18**, 98
über'queren, über'querte, hat über-
'quert **7**, 41
Sie können die Straße überqueren.
7, 41
die 'Übung /en **6**, 36
das 'Ufer /- **20**, 110
die Uhr /en **3**, 23
Um wieviel Uhr? **3**, 23
um ein Uhr zehn **3**, 23
Jetzt ist es 12 Uhr 40. **3**, 23
die 'Uhrzeit /en **3**, 23
um *Präposition* **3**, 23
Er braucht den Wagen um 10 Uhr.
6, 35
Sie kommt um 5 Uhr. **11**, 60
'umgekehrt 20, 110
der 'Unfall /ä-e **8**, 46
Sie hatte einen Unfall. **8**, 46
nach dem Unfall **18**, 101
'ungefähr → genau **14**, 82
Für drei Mark ungefähr. **14**, 82
die Universi'tät /en **2**, 19

(sich) unter'halten (unter'hält sich),
unter'hielt sich, hat sich unter-
'halten 9, 55
Sie unterhalten sich. **9**, 55
der 'Unterricht 1, 11
Sie kommt um 5 Uhr aus dem Unterricht. **11**, 60
unter'suchen, unter'suchte, hat unter-
'sucht **17**, 92
Dr. Wagner untersucht ihn. **17**, 92
der 'Urlaub 8, 47
Wann fahren Sie in Urlaub? **8**, 47
das 'Urteil /e **10**, 59

V

der 'Vater /ä **9**, 53
Der Vater fragt ihn. **9**, 53
Er dankt dem Vater und der Mutter.
'Vati (s. Vater) **9**, 52   [**9**, 53
die Ver'abredung /en **9**, 55
ver'binden, ver'band, hat ver'bunden
14, 83
ver'danken, ver'dankte, hat ver'dankt
19, 104
… ihren Chef, dem sie so viel verdankt. **19**, 105
ver'dienen, ver'diente, hat ver'dient
19, 104
… ein Mann, der gut verdient.
19, 104
ver'gessen (ver'gißt), ver'gaß, hat
ver'gessen 9, 52
Haben Sie auch nichts vergessen?
12, 66
ver'gleichen, ver'glich, hat ver'glichen
10, 59

ver'heiratet **4**, 27

Ich bin verheiratet. **4**, 27

ver'kaufen, ver'kaufte, hat ver'kauft
→ einkaufen **11**, 63

Warum verkaufen Sie den Wagen
nicht? **11**, 63

die Ver'käuferin /nnen **3**, 20

das Ver'kehrszeichen /- **16**, 87

Er kannte die Verkehrszeichen. **16,** 87

ver'lassen (ver'läßt), ver'ließ, hat
ver'lassen **19**, 104

Sie werden uns doch nicht verlassen?
19, 104

das Ver'langen **20**, 111

(sich) ver'letzen, ver'letzte, hat ver-
'letzt **8**, 46

Er hat sich den Fuß verletzt. **17**, 92

Er wurde schwer verletzt. **18**, 101

die Ver'lobung /en **19**, 108

ver'reisen, ver'reiste, ist ver'reist
2, 14

Er ist verreist. **2**, 14

ver'schlingen, ver'schlang, hat ver-
'schlungen **15**, 84

ver'schwiegen **15**, 85

(sich) ver'stehen, ver'stand, hat
ver'standen **1**, 11

Sie verstehen sich wieder. **9**, 55

Verstehen Sie denn etwas davon?
11, 63

ver'suchen, ver'suchte, hat ver'sucht
16, 90

Ich will's versuchen. **16**, 90

ver'teilen, ver'teilte, hat ver'teilt **10**, 59

der Ver'treter /- **19**, 109

die Ver'waltung /en **6**, 39

die Ver'zeihung **10**, 58

Ich bitte um Verzeihung. **10**, 58

Verzeihung!

viel / mehr / am 'meisten → wenig
1, 11

Wir üben viel. **1**, 11

Vielen Dank! **3**, 20

Das ist sehr viel. **3**, 21

Er hat viel Arbeit. **4**, 27

Was wollen Sie mehr? **19**, 104

viel'leicht **7**, 44

Vielleicht haben Sie einen Tisch am
Fenster. **13**, 72

das 'Visum /sa **6**, 34

Haben Sie meinen Paß und das Visum? **6**, 34

das 'Volkslied /er **10**, 58

die 'Volksschule /n **13**, 77

der 'Volkswagen /- **16**, 89

das 'Volkswagenwerk /e **4**, 31

von Präposition m. Dativ **5**, 32

der Paß von Herrn H. **6**, 35

Sie holt ihre Tochter von der Schule
ab. **11**, 61

Das ist nett von Ihnen. **12**, 66

Er wurde von einem Auto angefahren.
18, 101

Was sind Sie von Beruf? **18**, 102

vor Präposition m. Dat/Akk → hinter,
nach **3**, 23

20 Minuten vor eins **3**, 23

Er ließ den Wagen vor einem Zigarettenladen stehen. **16**, 86

vor'bei **7**, 43

Meine Kopfschmerzen sind vorbei.
17, 95

'vor|haben (hat ... vor), 'hatte ...
vor, hat 'vorgehabt **7**, 40

'weiter|fliegen, flog ... 'weiter, ist 'weitergeflogen 5, 32

Ich fliege weiter nach Berlin. **5**, 32

der 'Weitsprung **9**, 57

'welche/r/s 9, 56

Welche Bluse ist billiger? **14**, 79

die 'Welle /n **15**, 84

die Welt /en **3**, 20

das 'Weltmeer /e **14**, 83

wem 9, 52

Wem gehört denn die Kamera? **9**, 52

Mit wem fährt Frau H.? **11**, 61

wen 6, 37

Kennen Sie den? Wen? **6**, 37

(sich) 'wenden, 'wendete ('wandte), hat ge'wendet (ge'wandt) **10**, 58

'wenig / 'weniger / am 'wenigsten → viel **5**, 32

Nach wenigen Minuten kam er zurück. **16**, 86

'wenigstens 19, 107

Können Sie nicht wenigstens etwas lernen? **19**, 107

wenn *Konjunktion* **4**, 26

wenn möglich **4**, 26

Wenn ich helfen kann, gern. **8**, 46

Wann bekomme ich einen neuen Wagen, wenn ich ihn sofort bestelle? **8**, 46

Wenn das so ist, kann ich Ihnen auch nicht helfen. **19**, 107

wer 2, 14

Wer ist am Apparat? **2**, 14

Wer ist das? **2**, 15

'werden (wird), 'wurde, ist ge-'worden 7, 43

Es wird wohl regnen. **7**, 43

Wir werden sehen, daß du bald wieder gesund wirst. **17**, 92

Sie werden uns doch nicht verlassen? **19**, 104

Bei Ihnen ist doch ein Fahrer krank geworden. **18**, 98

Die Läden werden um 8 Uhr geöffnet. **18**, 99

Er wurde von einem Auto angefahren. **18**, 101

Warum ist er denn operiert worden? **18**, 101

Er konnte schon wieder entlassen werden. **18**, 101

Was für ein Auto würden Sie sich denn kaufen? **16**, 89

das 'Wetter 7, 43

über das Wetter **7**, 43

'wichtig / 'wichtiger / am 'wichtigsten **6**, 34

wie 1, 8

Wie geht es Ihnen? **1**, 8

Wie finden Sie das Auto? **2**, 17

Wie spät ist es jetzt bitte? **3**, 23

Wie war die Reise? **6**, 34

Wie funktioniert denn der Apparat? **9**, 52

Wie gefällt Ihnen der Rock? **14**, 78

'wieder 6, 34

Bald kommt wieder der Winter. **7**, 43

Ich bin gleich wieder zurück. **16**, 86

wieder'holen, wieder'holte, hat wieder'holt **1**, 10

Bitte wiederholen Sie! **1**, 10

Auf 'Wiederhören 2, 14

'wieder|kommen, kam ... 'wieder, ist 'wiedergekommen 5, 32

Wann kann ich wiederkommen?
18, 102

Auf 'Wiedersehen! 1, 8

wie'viel 3, 20

Wieviel kostet eine Karte? **3**, 21

Wieviel macht das zusammen? **3**, 21

Um wieviel Uhr? **3**, 23

wild / 'wilder / am 'wildesten **15**, 84

der 'Winter /- **7**, 43

Bald kommt wieder der Winter. **7**, 43

'wirklich 19, 107

Da ist wirklich nichts zu ändern.
19, 107

'wissen (weiß), 'wußte, hat ge'wußt
6, 37

Ich weiß es nicht. **6**, 37

Wissen Sie nicht, daß er operiert
wurde? **18**, 101

wo 1, 13

Wo gibt es hier Briefmarken? **3**, 20

Wo sind Sie denn gewesen? **12**, 69

die 'Woche /n **8**, 46

in vier Wochen **8**, 46

eine Woche mindestens **17**, 92

wo'für 11, 63

Sie bekommen sicher Geld dafür.
Wofür? Für den Wagen? **11**, 63

wo'her 1, 9

Woher kommen Sie? **1**, 9

wo'hin 1, 9

Wohin fahren sie? **1**, 9

wohl 7, 43

Wird es wohl regnen? **7**, 43

das Wohl 19, 104

Auf Ihr Wohl! **19**, 104

'wohnen, 'wohnte, hat ge'wohnt 1, 8

Wohnen Sie in München? **1**, 8

Ich wohne jetzt in Köln. **1**, 8

die 'Wohnung /en **4**, 27

Sie hat eine Wohnung. **4**, 27

'wollen (will), 'wollte, hat ge'wollt
7, 40

Ich will ins Kino gehen. **7**, 40

Wohin wollen Sie sich setzen? **13**, 73

Er wollte Zigaretten kaufen. **16**, 87

Ich habe gehört, daß Sie bei uns arbeiten wollen. **18**, 98

wo'mit 11, 61

Womit fahren Sie? **11**, 61

'wunderbar 15, 84

'wundersam 15, 84

der Wunsch /ü-e **4**, 26

Haben Sie sonst noch Wünsche?
4, 26

Haben Sie einen bestimmten Wunsch?
14, 78

ganz nach Wunsch **20**, 110

'wünschen, 'wünschte, hat ge'wünscht
10, 58

die Wurst /ü-e **3**, 25

Z

'zahlen, 'zahlte, hat ge'zahlt 3, 22

Sie müssen fünf Mark zahlen. **16**. 86

'zählen, 'zählte, hat ge'zählt 3, 20

Bitte zählen Sie! **3**, 20

der Zaun /äu-e **20**, 110

der 'Zehnkampf /ä-e **9**, 57

'zeigen, 'zeigte, hat ge'zeigt 9, 52

Er zeigt Klaus die Kamera. **9**, 53

Können Sie mir ein paar Blusen zeigen? **14**, 78

die Zeit /en **4**, 27

Er hat leider keine Zeit. **4**, 27

Für mich ist es leider Zeit. **11**, 60

die 'Zeitung /en **3**, 20

der 'Zettel /- **6**, 34

Nehmen Sie bitte den Zettel. **6**, 34

die Ziga'rette /n **3**, 20

Zehn Zigaretten kosten eine Mark.
3, 21

der Ziga'rettenladen /ä **16**, 86

das 'Zimmer /- **4**, 26

Haben Sie ein Zimmer frei? **4**, 26

die 'Zimmernummer /n **6**, 38

zu *Präposition m. Dativ* **2**, 15

Ist Frau H. zu Haus? **2**, 15

Ich gehe lieber zu Fuß. **11**, 63

zu kalt **13**, 75

zu teuer **14**, 78

Ich habe nichts zu tun. **19**, 107

Da ist nichts zu machen. **19**, 107

Sie ist bei Frau H. zum Kaffee. **11**, 60

Er ging zum nächsten Polizisten.
16, 86

zum Glück nicht **8**, 46

zur Stadtmitte **11**, 60

zur Schule **11**, 61

der 'Zucker 11, 60

Sie trinkt den Kaffee ohne Zucker.
11, 61

zu'erst → zuletzt **7**, 44

Zuerst muß ich zu Haus anrufen.
7, 44

zu'frieden 16, 89

Ich wäre mit einem Volkswagen zufrieden. **16**, 89

der Zug /ü-e **12**, 66

Sie will mit dem Zug nach Haus fahren. **12**, 66

'zugeben (gibt ... zu), gab ... zu, hat
'zugegeben **10**, 59

zu'letzt → zuerst **20**, 111

zu'rück 2, 14

hin und zurück **12**, 70

Ich bin ja gleich wieder zurück.
16, 86

**zu'rück|fahren (fährt ... zu'rück),
fuhr ... zu'rück, ist zu'rückgefah-
ren 11**, 60

Ich kann mit dem Bus zurückfahren.
11, 60

**zu'rück|fliegen, flog ... zu'rück, ist
zu'rückgeflogen 1**, 8

Ich fliege morgen zurück. **1**, 8

**zu'rück|kommen, kam ... zu'rück,
ist zu'rückgekommen 12**, 69

Ich bin gerade zurückgekommen.
12, 69

zu'rück|schauen, 'schaute ... zu'rück,
hat zu'rückgeschaut **10**, 59

zu'sammen 3, 20

Das macht zusammen 4 Mark 50.
3, 20

'zu|sehen (sieht ... zu), sah ... zu, hat
'zugesehen **10**, 59

zwar 17, 95

Wenn man alt ist, hat man zwar viel
Zeit, ... **17**, 95

'zwischen *Präposition m. Dat/Akk*
8, 51